MARKETING
PARA
EVENTOS

ROSARIO JIJENA SÁNCHEZ

GERARDO WOSCOBOINIK

MARKETING
PARA
EVENTOS

Orientado a proveedores
y organizadores

UGERMAN EDITOR
CIENCIA & TECNICA

Buenos Aires

Jijena Sánchez, Rosario
    Marketing para eventos : orientado a proveedores y organizadores/
Rosario Jijena Sánchez y Gerardo Woscoboinik - 1a ed. - Buenos
Aires : Ugerman Editor, 2005.
    176 p. ; 22x15 cm. (Marketing Específico)

    ISBN 987-9468-15-5

    1. Marketing. I. Woscoboinik, Gerardo II. Título
    CDD 658.83

Diseño de tapa: Pablo Ugerman
Armado: Ignacio Lo Russo

© 2006, by UGERMAN EDITOR
Mario Bravo 1080- P.B. "A"
(1175) Capital Federal
República Argentina
Primera edición: Enero 2006

Hecho el depósito que marca la ley.

ISBN: 987-9468-15-5

IMPRESO EN ARGENTINA
PRINTED IN ARGENTINA

AUTORES

Rosario Jijena Sánchez

Creadora de las Carreras de "Organización de Eventos", de "Asesoramiento en Imagen Personal, Profesional y Corporativa", de "Organización de Eventos Deportivos" y del Posgrado "Especialización en Congresos y Exposiciones". Abrió el camino para la profesionalización de estas actividades brindando la posibilidad de insertarse en otros campos laborales.

Empresaria en el área educativa, pedagoga, profesora de oratoria, organizadora de eventos, maestro de ceremonias y asesora en Imagen. Asesora en marketing educativo. Su formación como coreógrafa le ha permitido conjugar la creatividad y la disciplina necesarias para alcanzar el éxito. Ella lo ha sintetizado en su frase: "Vuelo y rigor, es la fórmula".

Ha recibido numerosas distinciones, entre ellas, "Al mérito académico" de la Fundación del Libro, "Mujeres emprendedoras" de FCEM (Femmes chefs d' Entreprises Mundiales) y de Talentos para la vida en reconocimiento a la "Trayectoria académica".

Es autora de los libros "Organización de eventos", "ABCDEventos, el diccionario de los eventos", "Organización de Eventos, Problemas e Imprevistos, Soluciones y sugerencias".

Actualmente se desempeña como Presidente del Centro de Organizadores de Eventos. Es socia gerente de Conceptual, empresa organizadora de eventos y de la Consultora Imagen y Estilo.

Es representante para la Argentina de l' ANAe (Association Nationale des Agences d' Evenements de Francia) y Vicepresidente para las Relaciones Internacionales del Consejo Profesional de Ceremonial, Imagen y Comunicación Institucional. Además es asesora de FIECA (Fundación para el Intercambio Estudiantil Chino-Argentina).

Ha sido convocada como disertante en prestigiosas universidades del país, como así también en Austria, Cuba, Estados Unidos, Francia, México y Uruguay.

Gerardo Woscoboinik

Ingeniero Agrónomo (Facultad de Ingeniería Agronómica de la Universidad de Morón), Licenciado en Administración de la Educación Superior (Universidad de La Matanza).

Se ha perfeccionado en "Dirección de entidades sin fines de lucro" y ha realizado la Diplomatura en "Metodología de la investigación" (Universidad de Morón), actualmente se encuentra cursando la Maestría en "Comunicación de las Organizaciones" (Universidad de Morón).

Es docente de Comercialización Estratégica y Operativa en el Magíster en Administración de Negocios en la U.T.N (de Haedo y de Río Grande); de Planeamiento Estratégico en la Maestría en Administración de Negocios en la U.T.N. (Río Grande), de Principios de Marketing, de Marketing de Servicios y de Investigación de Mercados en la Universidad de Morón. Titular de la cátedra Marketing en el Centro de Organizadores de Eventos (COE). Profesor de Imagen Corporativa, Plan de Negocios, Técnicas de Venta, Marketing e Imagen. Empresas Familiares. Planeamiento estratégico.

Asesor de la empresa American Chips y del Diario "El Debate de Zárate".

Ha publicado los libros "Los desafíos comunitarios", "ALADI–MERCOSUR la integración regional" y numerosas notas en periódicos y revistas especializadas.

Se ha desempeñado como Director de Seminarios de Capacitación para dirigentes de Organizaciones No Gubernamentales, estuvo a cargo del Proyecto PER (Plan Estratégico Rafaela) y ha disertado en conferencias, jornadas y congresos tanto nacionales como internacionales.

*A quienes me han permitido llegar hasta aquí
en el ambito profesional,
especialmente a mis alumnos y colaboradores.*

Rosario Jijena Sanchez

*A la única persona que puede escucharme en todos
y cada uno de los momentos en que la necesito, mi esposa Alicia.*

A mis hijos, Yael y Ariel.

*A lo largo de la vida hay determinadas personas que han
contribuido en nuestro desarrollo personal y profesional, algunas
han aportado su conocimiento o han sabido dar cabida a nuestro
potencial; otras, aún en forma anónima, han sido facilitadoras y
abierto una puerta al mundo del trabajo, ya sea ofreciéndonos una
oportunidad en esos momentos críticos en el cuál las cosas se ponen
difíciles, o dándonos esa muestra de generosidad que alienta y es
estímulo de crecimiento.*

*A todos ellos desearía hacerles llegar mi profundo
agradecimiento, especialmente a: Jorge Zak, Abraham Szwarc, Pablo
Guillermo Rossi, Alfredo Berlfein, Jorge Schulman, Bernardo Zelcer,
Oscar Blake, Hugo Padovani y José Suchowiercha.*

Gerardo Woscoboinik

ÍNDICE TEMÁTICO

A MODO DE PRÓLOGO:

Y pude conocer a Borges

A principios de los ochenta (debo decir que era muy joven por ese entonces), el departamento de Cultura de la AMIA me había encomendado la coordinación de un ciclo de conferencias a las que asistían los principales escritores nacionales. En esta ocasión el invitado era, nada menos, que Jorge Luis Borges.

La sala estaba dispuesta y como hacía habitualmente, había supervisado el armado del escenario, la mesa con su correspondiente cobertor, jarra con agua, sonido, etc.

El auditorio con capacidad para cuatrocientas personas se situaba en la calle Ayacucho frente al colegio La Salle y muy pronto estaría colmado por un público ávido por disfrutar de las palabras del maestro. Por mi parte había previsto un lugar donde tal ilustre figura sería recibido por las autoridades de la entidad, y en el que podría esperar hasta el momento del inicio de su disertación. Me había interiorizado de que, a pesar de su fama y reconocida trayectoria, conservaba cierta timidez para enfrentar al público, por lo que además de agua mineral y gaseosas consideré conveniente contar con la opción de ofrecerle degustar un vaso de whisky de muy buena marca. Llegado el momento, tras las presentaciones protocolares nos acomodamos en mullidos sillones, y al consultarle respecto de lo que le gustaría beber, si agua o whisky, elevó su mano derecha y mientras separaba su dedo índice del pulgar a modo de medida, me dijo suavemente: ¿No podrá ser una ginebrita?

11

Lamentablemente no pudimos satisfacer su deseo.

La conferencia se llevó a cabo de todas formas y como era de suponer, el éxito fue contundente.

Como experiencia pude rescatar el hecho de no confiarse nunca y descuidar el más mínimo detalle. Tener en cuenta que como organizadores nos estamos dirigiendo, al menos en ocasiones como esta, a tres públicos distintos:

• *Quienes nos contratan.*

• *Quienes son el motivo de la convocatoria (en este caso el disertante).*

• *Quienes asisten como espectadores.*

Y todos deben quedar conformes.

El mundo de los eventos es maravilloso, los eventos nos van acompañando a lo largo de toda nuestra vida, desde el nacimiento hasta la muerte. También durante el ciclo de vida de las empresas y de los productos. No hay persona en el mundo que pueda decir: nunca he participado de un evento. Existen eventos tradicionales y nuevos, fruto de la creatividad de personas que en carácter de organizadores los diseñan o los re-crean, y de los productores o proveedores de productos que con imaginación e innovación se adecuan y hasta se anticipan a los requerimientos del mercado.

Todos, día a día, se han ido profesionalizando para sobrevivir y crecer en un mercado altamente competitivo y exigente.

Es por ello que hoy ponemos en sus manos nuestra propuesta, con la esperanza de contribuir al mejor desarrollo de las empresas y personas que han decidido participar y triunfar en el fabuloso mundo de los eventos.

INTRODUCCIÓN

Marketing: *"Es mirar y ver a la empresa
en el 'espejo' del mercado".*

Alberto L. Wilensky

A principios del siglo XX, los oferentes de productos o servicios intentaban vender un producto que ya estaba fabricado, es decir, la actividad de marketing era posterior a la producción del bien y sólo pretendía fomentar las ventas de un producto terminado; un siglo después el Marketing ha adquirido y debe desempeñar muchas más funciones que van desde aspectos previos al inicio de producción o al lanzamiento de un producto extendiéndose hasta el seguimiento posterior a la compra o utilización de un servicio.

El concepto de marketing se sustenta en la actualidad en dos postulados fundamentales:

• Primero, toda planificación y gestión de una empresa debe ser pensada y orientada hacia el cliente.

• Segundo, una empresa debe procurar la mayor rentabilidad posible. Y esto se logrará siendo eficiente.

En un sentido más amplio, el concepto de marketing podríamos decir que implica una mirada filosófica respecto a cómo deben ir desarrollándose los diferentes negocios empresarios, basada en la premisa respecto a que la satisfacción del deseo de los clientes es la justificación económica y social de la existencia de una empresa.

Consecuentemente, todas las actividades de producción y finanzas, así como el marketing, deben estar dedicadas primero a determinar cuáles son los deseos de los clientes, y, entonces, a satisfacer ese deseo a la vez que se procura obtener un beneficio razonable.

El segundo punto fundamental del marketing es que está basada en el concepto de las ganancias, no en el concepto de volumen.

Pensar con mentalidad de marketing implica efectuar un Análisis del mercado y sus necesidades, la determinación del Producto/Servicio adecuado, pensar en sus características, formato y precio, la selección de un segmento de potenciales clientes, pensar qué comunicar, cómo y a través de qué medios y la logística de la distribución del producto.

Es corriente que la gente piense en marketing como sinónimo de "ventas" o de "publicidad". Iremos descubriendo que estos dos conceptos están incluidos en él y son solo su parte visible, la punta del iceberg.

Una definición simple de marketing la da Jay C. Levinson:

> Marketing es todo lo que se haga para promover una actividad, desde el momento que se concibe la idea, hasta el momento que los clientes comienzan a adquirir el producto o servicio regularmente.

El sentido de esto es:

El marketing aglutina *decisiones* y *acciones* que van desde la decisión de elegir el nombre a una empresa, diseñar los servicios y productos y ponerles una marca, determinar el lugar donde se venderá y/o ofrecerá el servicio, la localización del negocio, su ambientación, la publicidad, las relaciones públicas, el público al cual va dirigido, la fijación de precios y promociones, el plan estratégico de crecimiento, el control y seguimiento de los clientes potenciales y reales.

El marketing se desarrolló muy lentamente durante la última mitad del siglo XIX y las dos primeras décadas del siglo XX. La razón era que todo el interés se centraba en el aumento de la producción ya que la demanda del mercado excedía a la oferta de productos.

En este período comienzan a manifestarse importantes eventos empresarios y deportivos además de los tradicionales eventos sociales típicos de la alta sociedad.

Un ejemplo trascendental fue la Exposición Internacional de París en conmemoración del centenario de la revolución francesa, en la cual se presentaron los últimos adelantos del siglo XIX, la electricidad y el acero.

De esta exposición aún queda como testimonio la torre Eiffel.

La República Argentina participó en este evento internacional con un stand a un costo de 1.400.000 francos oro a través del cual se reflejaba el desarrollo del potencial agropecuario nacional.

Evolución del concepto de comercialización

El concepto de comercializar parte de la preocupación por *vender*, y *obtener utilidades de esta forma.*

El *concepto de marketing* se fue modificando en el transcurrir del tiempo transitando de una orientación *masiva o generalizada*, al marketing de segmentación y recientemente a lo que se ha dado en llamar marketing personalizado o *mercadeo uno a uno* (one-to-one) si lo referimos a la comunicación empresa-cliente, tal como ocurre con salones de fiestas que dirigen su comunicación a usuarios particulares o también al Business to Business (B2B), es decir al marketing dirigido de empresa a empresa, proveedores de eventos que ofrecen sus productos a empresas organizadoras de eventos.

- **Orientación a la venta**

Finalizada la Primera Guerra Mundial, y luego de la crisis del año 1929, la capacidad de compra de la gente se redujo al mínimo (especialmente en los Estados Unidos); por esa época se crearon y desarrollaron nuevos productos, que luego trataban de introducirse en un mercado recesivo.

Por este motivo se comienza a dar gran importancia a las ventas, y se desarrollan técnicas destinadas a mejorar la forma de vender.

De aquí se origina la confusión corriente de asociar como iguales los conceptos: venta, comercialización y marketing.

- **Orientación al mercado**

Los procesos de comercialización fueron analizados y estudiados a mitad del siglo XX; poco a poco se fueron difundiendo y desarrollando múltiples teorías, que procuraban asegurar el éxito de cualquier actividad empresaria.

En este momento histórico ha finalizado la Segunda Guerra Mundial y se producen lo que se ha denominado el "Babe Boom" (alta tasa de nacimientos), los avances tecnológicos y un mayor equipamiento de elementos para el hogar.

Según Teodore Levitt, el concepto que dio origen al Marketing fue el de orientar los productos hacia aquellos compradores potenciales **(mercado meta)** que los iba a consumir o usar apoyándose en campañas de promoción masiva *(mass marketing)*, ejecutadas a través de los medios masivos que comienzan a expandirse y popularizarse en aquellos tiempos (cine, radio, televisión).

- **Mercadeo uno a uno**

A partir de 1990, se redefine el concepto de mercadeo orientado al cliente, y se comienza a crear productos y servicios orientados a personas en particular, con la utilización de complejos sistemas informáticos capaces de identificar clientes específicos y sus necesidades concretas. Los segmentos se van reduciendo hasta llegar a grupos meta altamente determinados, personas concretas, con nombre y apellido, de las cuales llegamos a conocer, entre otros aspectos, su nivel de ingreso, patrimonio y hábitos cotidianos. Vamos descubriendo que no todo el mundo es nuestro cliente, que nuestros clientes responden a determinados patrones o características, y, a su vez, que no todos los clientes son igual de rentables.

Tras transitar por diferentes enfoques, que ponían su centro en la producción, en el producto o servicio, o en las ventas o comercialización hemos llegado a lo que se denomina el marketing activo.

En muchos caso la empresa considera que su producto o servicio debe ser de mejor calidad, y, por lógica, el consumidor optará por escogerlo a él.

En este tipo de enfoque las empresas se centran más en las características del producto que en las necesidades que satisface.

El no interpretar los cambios llevó a los fabricantes de relojes suizos a perder su liderazgo ante los relojes digitales japoneses; hasta adoptar esta tecnología que curiosamente ellos habían inventado y descartado. ¿Qué sucedió con los eventos?

Salones y hoteles renombrados confiaban en su público tradicional sin darse cuenta que habían surgido nuevas generaciones que esperaban ofertas diferentes.

Esto llevó a preguntarse a algunos empresarios, ¿Si mi oferta de catering, o mi producto es mejor que el de mi competidores por qué ellos tienen más ventas?

Cuando se está en una situación de mercado en el que la competencia es dura, porque hay pocos clientes o demasiadas empresas en un mismo negocio, se pone énfasis en las ventas; también puede ocurrir que existan muchos proveedores de un mismo producto para eventos o muchos salones de fiesta en una misma zona, demasiada oferta de proveedores de sonido e iluminación sin posicionamiento de marca, superposición de congresos sobre temáticas similares, lo que provoca que las empresas saturen el mercado con promociones y publicidad, etc.

Como consecuencia de esta situación suele comenzar una guerra de precios, y estos tienden a bajar llevando a las empresas a una situación de crisis. En situaciones de inestabilidad económica la demanda de eventos, o el nivel de inversión en los mismos se ve disminuida sensiblemente.

Estamos transitando por el marketing activo

Este enfoque empresario, por definición, se basa en el análisis del mercado en el cual se está operando, buscando identificar cuales son las necesidades del consumidor, del público objetivo (meta) y la manera de satisfacerlas mejor que la competencia de una manera que resulte rentable.

El enfoque del marketing activo procura orientarse al consumidor. El centro es el cliente, idea que va más allá que lo declamativo.

El cliente debe quedar satisfecho y debe reiterar su compra.

El marketing activo procura articular las diferentes variables controlables del marketing, a saber: precio y promoción, producto y punto de venta o de prestación del servicio.

Un proveedor de impresos para eventos, debe poseer calidad; cumplimiento en tiempos de entrega; precio competitivo; de ser posible, financiación adecuada; excelente atención y una comunicación permanente y planificada con su cliente.

Muchos proveedores de insumos para eventos nos han dicho siempre que su empresa es mejor que la competencia. Les res-

pondemos que no alcanza con que uno lo diga; lo debe conocer y creer el mercado.

Podríamos decir que el marketing es un juego de estrategia interactivo y dinámico cuyo objeto es dominar la mente y el comportamiento de los consumidores con la premisa de que estos deseen y prioricen la adquisición de nuestros productos o servicios.

El tablero o campo de juego es denominado "mercado" y en él, todos, de una u otra forma, estamos incluidos, aunque algunos serán los participantes, ubicándose en el sector de la oferta o del lado de la demanda. También asisten espectadores que pueden entrar o no a jugar conforme a la evolución de factores externos variables lo cual lo torna en un juego pleno de emociones e incertidumbre.

Las nuevas tendencias en el marketing: el marketing social

Satisfacer los deseos del consumidor no implica necesariamente actuar de acuerdo con los intereses a largo plazo del conjunto de la sociedad.

Las empresas, en la actualidad, van tomando conciencia de su responsabilidad para con la sociedad, y al momento de establecer sus políticas de marketing toman en cuenta el beneficio de la empresa, la satisfacción del consumidor y también el interés público.

Esto ha abierto un sinnúmero de posibilidades a los organizadores y proveedores de eventos

Ya que ha aparecido en las empresas la necesidad de mostrarse en sociedad de forma diferente, esto ha promovido el surgimiento de eventos deportivos populares de participación masiva, como maratones y bicicleteadas entre otros y gran número de eventos benéficos, como festivales, muestras artísticas, desfiles, etc.

¿Qué es hacer marketing?

Hacer marketing implica "accionar en el mercado", entendiendo que el mercado es donde confluyen la "oferta" y la "demanda".

Del lado de la oferta tendremos los productos, los cuales pueden ser bienes tangibles o intangibles (servicios).

Es decir que los servicios son productos.

Y por el lado de lo que denominamos demanda encontraremos a los clientes bajo sus diferentes denominaciones ya sea como consumidores o usuarios, asistentes, participantes, etc.

¿Quiénes pueden ser clientes en el mercado de los eventos?

Individuos, empresas, instituciones civiles, municipales, provinciales o nacionales y entidades públicas.

Todo depende del mercado al cual nos dirigimos, al cual apuntamos, al que denominaremos mercado meta, o mercado objetivo.

Quienes conforman nuestra demanda poseen necesidades y deseos.

Philip Kotler entiende que una necesidad es un estado de privación o de carencia, mientras que Abott discrimina entre dos formas de necesidades, las genéricas y derivadas.

Según este especialista habría necesidades que perduran y nunca se saturan (genéricas) y otras que sí (las derivadas).

Las necesidades fisiológicas serían genéricas mientras que las sociales serían derivadas.

Aplicando estos conceptos al mundo de los eventos diríamos que alimentarse es una necesidad genérica mientras que hacer una fiesta donde el servicio de catering se brinda con continuidad durante seis o más horas respondería a una necesidad derivada.

Diferencia entre Necesidad y Deseo

Por otra parte surge un nuevo término, el concepto de "deseo".

El deseo representa el cómo, la forma o con qué voy a satisfacer determinada necesidad.

Las acciones de marketing serán realizadas con la finalidad de inducir al cliente a satisfacer una necesidad dada a través de nuestra oferta.

Lo cual significa que celebre su casamiento contratando los servicios de nuestra organización y/o alquilando nuestro salón o utilizando nuestra sede.

En definitiva, que compre nuestro producto en vez del similar de la competencia o uno que lo sustituya.

Si profundizamos este tema podríamos interpretar separadamente cuál es la necesidad y cuál el deseo.

¿Qué pasa con una pareja que va a contraer enlace?

¿Cuál podríamos interpretar que es su necesidad y cuál su deseo?

Necesidad: celebrar un momento memorable, único.

Deseo: realizar una fiesta que les proporcione placer, prestigio, felicidad, confort, tanto a ellos como a sus invitados.

> *"La demanda actual se caracteriza*
> *por la innovación y la transitoriedad"*
> Albin Tofler

Importancia del marketing actual

Como hemos visto, toda actividad comercial, industrial o de servicios, sea grande o pequeña, requiere *"mercadear"* sus productos o servicios. No hay excepción.

No es posible que se tenga éxito en una actividad comercial sin ejecutar acciones de marketing. Naturalmente, no es lo mismo ser Unilever, Ford, o Sheraton, que una empresa pequeña que produce y vende productos o servicios para un reducido número de clientes.

Sin embargo, hay principios que son comunes a todos y que deben ser tomados en cuenta.

Siete principios que justifican hacer marketing

1. *El mercado cambia permanentemente.*
Ya sea por situaciones políticas, modas, costumbres, nueva tecnología, conocimiento e información globalizada.

2. *La gente busca novedades.*
Puede ser para una reunión social o un evento empresarial, uno de los objetivos es dar que hablar, lograr que el evento sea diferente, apelando a la imaginación, la creatividad, que sorprenda en todo momento, ya sea por el tipo de invitación, la programación en sí, la elección del menú, la ambientación, los souvenirs; se trata de provoca una admiración constante.

3. *La competencia no se duerme.*
Viaja, se capacita, busca novedades, aplica otras tecnologías, crea nuevas propuestas y también nos observa, por lo que debemos estar siempre atentos y actualizados.

4. *El marketing identifica y capta clientes.*
Cada organizador o proveedor debe ser distinto, posicionarse por su estilo, diferenciarse, deberá fascinar y entusiasmar a su cliente o al público al que se dirige.

5. *El marketing ayuda a la fidelización de los clientes.*
Conociendo al cliente podremos ofrecerle algo que el otro no le da: un valor agregado. Un claro ejemplo de esto me lo dio

una alumna y conviene tenerlo presente. Ella es restauradora y por ese motivo la invitaron a participar de una licitación para restaurar los estucados y dorados de nuestra cancilleria.

Su presupuesto no fue aceptado si bien estaba dentro de los valores estipulados. Su experiencia y antecedentes eran irreprochables, pero (cosa que es frecuente en otros países aunque no tanto en el nuestro), tuvo la posibilidad de saber por qué no había sido elegida.

Se enteró que la empresa ganadora especificaba en el detalle de las tareas a realizar que, una vez finalizado su trabajo, volvería a colocar los pesados cortinajes de terciopelo, que había retirado para la reparación, dejando todo listo nuevamente.

Esto, que puede o no tener valor en otras ocasiones, en este caso, solucionaba un problema al cliente.

6. *El marketing nos da ventajas sobre la competencia.*

Conociendo lo que el cliente o el público desea, tenemos mayor seguridad de ofrecerle lo que necesita, adecuarnos a sus necesidades, comunicarnos en la forma adecuada.

7. *El marketing maximiza el consumo y, por lo tanto, las utilidades.*

Maximizar el consumo es brindar la oportunidad de contar con variedad de productos o de servicios y de ofertas.

Analice este ejemplo: usted tiene un cliente. Es una empresa que le ha propuesto organizar la fiesta de fin de año. Muy bien, todo podría terminar ahí, pero no es lo conveniente; usted debe despertar el deseo para que la empresa continúe realizando otros eventos, family day, lanzamiento de producto, fiesta aniversario, etc.

Un cliente de eventos es siempre un potencial consumidor de otros eventos.

Piense cómo han cambiado las "bodas" en los últimos cincuenta años.

No sólo se han popularizado nuevos espacios físicos, como estancias, quintas, o barcos, salones en hoteles, sino que también se renuevan los shows, pasando de la orquesta de los años 50, a las modas de la última década, mimos, conjuntos de salsa, murgas, etc.

También podrá reconocer cambios en el servicio de catering, en la ambientación y en productos complementarios como los souvenirs, la impresión del menú o el programa, el álbum de firmas, la iluminación, el cotillón y hasta la vestimenta del personal.

Otro ítem a tener en cuenta dentro del mundo de los eventos es el de las motivaciones, o sea para integración, la inducción para las fuerzas de venta, la fidelización del cliente interno, o para crear una imagen corporativa, la recaudación de fondos para colaborar con entidades benéficas, es otra faceta que abre un amplio mundo a crear y desarrollar. También tenemos que analizar todo tipo de eventos de capacitación, de perfeccionamiento.

El hombre necesita estar estimulado, motivado y, con el alcance de la televisión o de internet, poder acceder, por ejemplo, a la apertura de los juegos olímpicos de Atenas o de algún mundial, donde el teatro, la magia, la tecnología, la historia, se conjugan, nos emocionan y enseñan de tal manera que cada vez queremos más, más tecnología, más sorpresa, más perfección, más emoción.

LOS EVENTOS
SON SERVICIOS

¿Qué son los servicios?

Entenderemos por servicios a *todas aquellas actividades identificables, intangibles, que son el objeto principal de una operación que se concibe para proporcionar la satisfacción de necesidades de los consumidores.*

De lo anterior se deduce que las organizaciones de servicios son aquellas que no tienen como meta principal la fabricación de productos tangibles que los compradores vayan a poseer permanentemente, por lo tanto, *el servicio es nuestro objeto de marketing,* es decir, la empresa está vendiendo el servicio como núcleo central de su oferta al mercado.

En este caso, responda las siguientes preguntas:

- ¿Cuál será la meta principal de una casa de comidas?
- ¿Cuál la meta principal de un salón de eventos?
- ¿Cuál la meta principal de una empresa de seguros?

De cada respuesta obtendrá las diferencias que avalan y sustentan lo que hemos expresado anteriormente.

Podemos resumir que "un servicio es todo producto intangible que una parte ofrece a otra, y cuya producción puede o no estar vinculada con uno o más productos físicos."

Sin embargo, hasta ahora no se ha logrado una definición universalmente aceptable de los servicios.

Desde un punto de vista del marketing, los bienes, al igual que los servicios, ofrecen beneficios o satisfacciones (son satisfactores); y tanto bienes como servicios son definidos como productos.

La visión antigua de un producto lo definía como un conjunto de atributos, tangibles e intangibles, físicos y químicos, reunidos en una forma especial.

La visión del marketing nos propone que es un conjunto de atributos, tangibles e intangibles, que el comprador adquiere para satisfacer sus necesidades y/o deseos.

Así pues, en el sentido más amplio, todo producto tiene elementos intangibles para él.

Piere Eglier y Eric Langeard introdujeron el neologismo *servucción*, que denomina "a todo el proceso de gestión/producción de un servicio".

CARACTERÍSTICAS DE LOS SERVICIOS

Diferentes teóricos del marketing han sugerido varias características para ayudar a distinguir los bienes (productos físicos) de los servicios. Reconocer cuáles son y cómo es la combinación de estas características, crea el contexto específico en que debería desarrollar sus políticas de marketing una organización de servicios.

Las características más frecuentemente establecidas como diferenciales de los servicios son:
• Intangibilidad
• Inseparabilidad
• Heterogeneidad
• Perecederos
• Propiedad

Intangibilidad

Los servicios son esencialmente intangibles. Con frecuencia no resulta posible degustar, sentir, ver, oír u oler los servicios antes de comprarlos. Se pueden buscar de antemano opiniones y actitudes; una compra repetida puede descansar en experiencias previas, al cliente se le puede dar algo tangible para representar el servicio pero, a la larga, la compra de un servicio es la adquisición de algo intangible.

De lo anterior se deduce que la intangibilidad es la característica definitiva que distingue los productos de los servicios y que intangibilidad significa tanto algo no palpable físicamente como algo mental.

Estos dos aspectos explican algunas de las características que diferencian la forma de encarar el marketing de producto del de servicios.

No es lo mismo promover y vender manteles o artículos de cotillón, que lanzar un producto, un *vernisagge* u organizar cualquier otro evento.

Inseparabilidad

Con frecuencia los servicios no se pueden separar de la persona prestadora.

Una consecuencia es que la creación o realización del servicio puede ocurrir al mismo tiempo que su consumo, ya sea éste parcial o total.

Los bienes son producidos, luego vendidos y consumidos, mientras que los servicios se venden y luego se producen y consumen, por lo general, de manera simultánea.

Esto tiene gran relevancia desde el punto de vista práctico y conceptual. En efecto, tradicionalmente se han diferenciado nítidamente funciones dentro de la empresa en forma bien separada, con ciertas interrelaciones entre ellas, por lo general, a nivel de coordinación; sin embargo, aquí podemos apreciar más una fusión que una coordinación: el personal de producción del servicio, en muchos casos, es el que vende y/o interactúa más directamente con el cliente o usuario mientras éste hace uso del servicio ("consume").

En este tema nos gustaría hacer una observación que es respecto de qué hace que el organizador o proveedor sea diferente del otro. Por un lado sería su estilo personal, su experiencia, su adaptabilidad al cliente o al público o invitado.

Varias veces hacemos referencia a esta diferenciación, a su importancia, porque si somos organizadores independientes nuestro cliente es el público, en cambio, si nos contratan de una empresa organizadora, estamos tratando con otro tipo de cliente.

• *¿Qué sucede con el organizador de eventos?*

Es indudable que el servicio no puede separarse de su persona, de su presencia, él lo planifica, organiza, dirige y controla.

Heterogeneidad

Se cortó la luz

En el 2004 fui convocado para brindar un ciclo de seminarios de capacitación a integrantes de una reconocida empresa multinacional de productos masivos.

Cada seminario se realizaba en distintas ciudades del interior del país. En Buenos Aires el organizador había elegido concentrar a los participantes durante tres días en un spa de la localidad de General Rodríguez. Era octubre y el primer día se presentó con una lluvia copiosa. Comenzamos temprano en la mañana cuando un corte de luz nos interrumpió, se escuchó un ¡¡oh!! de sorpresa y asombro generalizado, algunas bromas, encendedores que comenzaron a iluminar la sala... ¿Qué podíamos hacer?... En minutos el generador de emergencias comenzó a funcionar y así llegamos al almuerzo sin otro inconveniente. Por la tarde, al instalarnos nuevamente en la sala, el generador dejó de funcionar, no había luz en toda la zona, no podíamos usar la computadora, ni el proyector, ni la video. Pero el show, debe continuar... ¿Cómo?

Nos arrimamos todos contra el ventanal principal del salón, nos iluminamos con velas y algún sol de noche y continuamos la tarea con el método más antiguo: tiza y pizarrón.

Con frecuencia es difícil lograr estandarización de producción en los servicios, debido a que cada "unidad" de un servicio puede ser diferente de otras "unidades".

Además, no es fácil asegurar un mismo nivel de producción desde el punto de vista de la calidad.

Y desde el punto de vista de los clientes les resulta difícil juzgar la calidad con anterioridad al uso.

• *Pensemos en una empresa de catering o fiestas*

¿Cómo asegurar que todas las fiestas resulten exactamente iguales?

¿La comida tendrá siempre el mismo sabor?

¿Todos los platos llegaran a ser servidos con la misma temperatura?

¿El show contratado llegará y comenzará a tiempo?

Por otra parte, tal como vimos en la anécdota anterior, cada evento es único e irrepetible en forma idéntica, ya que cualquier cambio en el mismo modifica todo en algún grado.

Esto se corresponde con la teoría de sistemas y por eso el servicio también puede ser analizado desde esa perspectiva.

Perecederos

Los servicios son temporalmente finitos, perecen y no se pueden almacenar.

Ejemplos: desfiles, ferias, congresos, etc., nadie puede tener acumulado un stock de eventos.

El hecho de que un servicio no utilizado perezca resulta un problema. Por otra parte, para algunos servicios una demanda fluctuante puede agravar este problema.

Las decisiones clave se deben tomar sobre qué máximo nivel de capacidad debe estar disponible para hacer frente a la demanda antes de que sufran las ventas de servicios. Igualmente hay que prestar atención a las épocas de bajos niveles de uso, a la capacidad de reserva o a la opción de políticas de corto plazo que equilibren las fluctuaciones de demanda.

¿Qué ocurre en el caso de un salón de fiestas cuando los sábados está siempre reservado y hay más demanda para ese día? O a la inversa, ¿los días que no está alquilado?

Respuesta: esos días son días perdidos, es decir que son días irrecuperables.

Si somos proveedores de servicios de foto y video, ¿cuántas fiestas podemos cubrir?

Aquí cabe la capacidad creativa del proveedor (que puede ofrecer a sus clientes alguna demostración en horarios y días que los salones no están al máximo de ocupación) o al organizador que podrá crear eventos, por ejemplo, las disco, y los pubs generalmente no funcionan en horarios de mañana y tarde, durante los días de semana es un espacio ocioso, es mucho más económico, en ellos se pueden organizar desfiles de moda con una escuela de modelos, o diseñadores jóvenes que no pueden contratar un hotel o salón para un horario preferencial. Indudablemente tendrá menos público, pero los costos serán sensiblemente menores.

Lo mismo podrá ser utilizado por alumnos de escuelas de imagen y sonido (para practicar iluminación o alcances de la decoración), como así mismo ser ofrecido para eventos benéficos, o presentaciones de algún producto.

Propiedad

La falta de propiedad es una diferencia básica entre los servicios y los productos tangibles, porque un cliente solamente puede tener acceso a utilizar un servicio determinado. El pago se hace por el uso, acceso o alquiler de determinados elementos.

No hay posesión del salón, de las mesas, o equipos de música.

Tampoco sobre cómo se gestiona y brinda un servicio. Lamentablemente los servicios no se pueden patentar como tales y si resultan buenos es posible que nos copien la idea rápidamente.

LA ESTRATEGIA DE MARKETING EN LOS SERVICIOS

Cualquier estrategia de marketing es única porque es específica para una organización determinada o para productos determinados.

Algunos aspectos que resultan ser exclusivos de los servicios orientan la formulación de la estrategia de marketing de servicios, estos son:

a) La naturaleza predominantemente intangible de un servicio. Ser un intangible puede dificultar más la selección de ofertas competitivas entre los consumidores.

b) La inseparabilidad del productor. Cuando el productor del servicio es inseparable del servicio mismo, la oferta se va tornando cada vez más restringida.

c) El carácter perecedero. El carácter perecedero de los servicios impide el almacenamiento del propio producto y también puede agregar riesgo e incertidumbre al marketing del *servicio*.

Cabe mencionar que *los elementos básicos que conforman una estrategia de marketing son los relacionados con la segmentación, el posicionamiento y mix de marketing* también denominada *mezcla de marketing*.

El mix de marketing consiste en articular las diferentes variables controlables de marketing: producto, precio, plaza y promoción.

Las etapas de segmentación y posicionamiento de la estrategia de marketing son básicamente las mismas tanto para los bienes como para los servicios.

Donde sí se presentan diferencias es en los elementos que conforman la mezcla de marketing.

El mix de marketing

La mezcla de marketing más conocida en la literatura actual hace referencia a la combinación de cuatro variables o elementos básicos a considerar en la toma de decisiones de una empresa. Estos elementos son:

Producto, precio, plaza y promoción (las cuatro *P* fueron propuestas y desarrolladas por Jerome Mc Carthy: Product, Place, Price and Promotion, y luego reproducidas por todos los autores).

Esta mezcla es la más utilizada en el mercadeo de bienes; sin embargo, hay tres razones por las cuales se requiere una adaptación cuando es aplicada a los servicios.

1. La mezcla original del marketing se preparó para industrias manufactureras de la década del 60.

   Los elementos de la mezcla no se presentan claramente en organizaciones de servicios ni se acomodan necesariamente a estas organizaciones, en las que la característica de intangibilidad del servicio, la tecnología utilizada y el tipo de cliente principal resultan ser fundamentales.

2. En experiencia práctica la mezcla del marketing de tangibles resulta insuficiente para abarcar las necesidades del sector servicios debido a las características propias de los mismos que hemos ido desarrollando (intangibilidad, carácter perecedero, inseparabildad, etc.).

3. Existe creciente evidencia respecto de que las dimensiones de la mezcla del marketing no son lo suficientemente amplias para el marketing de servicios, ya que no consideran una serie de elementos esenciales para la generación y entrega del servicio.

En base a las tres razones mencionadas, surge la idea de una mezcla revisada o modificada que está especialmente adaptada para el marketing de los servicios.

Esta mezcla revisada contiene tres elementos adicionales a las cuatro pe, formando una combinación final de *siete elementos*, que resultan ser:

1. *Producto*

2. *Precio*

3. *Plaza*

4. *Promoción*

5. *Personal*

6. *Evidencia física*

7. *Proceso de prestación (servucción)*

(Personnel, Physical evidence y Process)

Las decisiones no se pueden tomar sobre un componente de la mezcla sin tener en cuenta las conclusiones de las fases anteriores de la estrategia de marketing, así como su impacto sobre los demás componentes. Inevitablemente hay mucha superposición e interacción entre los diferentes componentes de una mezcla de marketing.

Estamos pasando del mix de la Cuatro Pe al mix de las Siete Pe (*en inglés*) aplicado a los servicios.

1. *Product*

2. *Price*

3. *Place*

4. *Promotion*

5. *Personnel*

6. *Physical evidence*

7. *Process*

Síntesis del capítulo 1

En este primer capítulo presentamos las características de los servicios, sus definiciones, y los diferentes aspectos.

Hemos hablado de la estrategia de marketing de servicios, la que, en algunos casos, es exclusiva de estos y no aplicable a productos físicos y hemos mencionado las variables con las cuales los proveedores y organizadores de eventos deberían trabajar.

¿Cuál podría ser una estrategia para presentar nuestros servicios? Podríamos citar para el OPE (Organizador Profesional de Eventos), a modo de ejemplo, el estar presente en exposiciones o ferias, con un stand, material de promoción, personal especializado que dé la imagen de la empresa ofreciendo distintas alternativas de eventos adecuados al target del que hemos hecho mención.

Para ser más claros, podemos hablar de algunas organizaciones orientadas a la oferta de entretenimientos y recreación para niños que han estudiado los intereses de los mismos entonces los juegos que ofrecen son los más aptos e indicados para cada edad.

Aplicado al OPE en general, ya sabemos que este debe captar las necesidades, motivaciones, sueños e ilusiones del cliente.

Debe saber "venderle" ese intangible inspirando confianza, adivinando, en algunos casos su imaginario, su deseo y, como veremos más adelante, "mostrándole" ese intangible.

EL PLANEAMIENTO
ESTRATÉGICO Y OPERATIVO

Sabiduría es conocer lo que debe hacerse;
habilidad, saber cómo debe hacerse,
y virtud, hacerlo.

Starr

Toda organización, ya sea de bienes o servicios debe tener bien determinada su visión, su misión y los valores que la sustentan.

LA VISIÓN

La visión es la definición de un estado deseado (ideal) que se pretende alcanzar.

LA MISIÓN

James Stoner define a la misión como la meta general de la organización, basada en las premisas del planeamiento que justifica la existencia de una organización, mientras que Peter Drucker señala que es la declaración duradera de objetivos que identifica una organización de otra similar.

Misión es la razón de ser de la organización, la meta que moviliza sus energías y capacidades.

Es la base para procurar dar una unidad de propósitos a todos los miembros de la organización con el fin de desarrollar un sentido de pertenencia.

¿Qué sucede en aquellas empresas que no han definido su misión?

Sin la definición clara de la misión, ninguna organización puede progresar.

Una declaración de misión es una descripción breve del propósito mayor, la razón más amplia que justifica la existencia de la organización.

La misión orienta, da el rumbo y el comportamiento en todos los niveles de la organización.

Una misión bien formulada permite guiar las acciones, los sentimientos y transmite la imagen de qué se sabe, adónde se dirige la organización, así como del apoyo, tiempo y recursos vinculados a ella.

De lo anterior se desprende que el propósito de una misión no es exponer fines concretos, sino una dirección general, dar *una filosofía que motive y sirva de guía al desarrollo de la organización* destinada a ser compartida por todos los miembros.

En resumen, podemos sintetizar lo que es la visión, la misión y la estrategia respondiendo a estas preguntas.

Visión: ¿A dónde se dirige la organización?

Misión: ¿Quiénes somos y cuál es nuestro propósito?
¿Qué beneficios proporcionaremos a nuestros clientes?

Estrategia: ¿De qué manera lo haremos? ¿Cuál es mejor camino?

Para profundizar mejor el contenido y entender el concepto de misión, resultará interesante leer detenidamente las formulaciones expresadas en los dos ejemplos siguientes:

• **Empresa A (Misión)**

Seremos una organización empresarial de primer nivel, nuestra *misión general* apunta a convertirnos en líderes en la organización de eventos a través de métodos de "desarrollos creativos", con la premisa de asegurar la mayor satisfacción posible al deseo de nuestros clientes.

• **Empresa B (Misión)**

Brindar a nuestros clientes el mejor servicio de catering con gran variedad de alimentos y bebidas, en un lugar seguro, confortable y con atención personalizada; logrando que nuestros clientes disfruten de una experiencia memorable, tanto en lo empresarial como en lo personal.

LOS VALORES

El sustento de los valores, principios o credo de las empresas se transmiten a la cultura organizacional, van conformando la identidad de la empresa y se transforman en la imagen percibida por los clientes.

Los valores sustentados por McDonald's son: servicio, limpieza, calidad, precio.

Entre los valores que podrían ser sustentados por una empresa organizadora de eventos podríamos citar a modo de ejemplo:

✓ Creatividad

✓ Innovación

✓ Calidad en el servicio

✓ Trabajo en equipo

✓ Compromiso

✓ Ética

Aunque la mayoría de los valores resulten similares, cada organización, va generando los principios en los cuales se va sustentando. Cuanto más explícitos y compartidos estos resulten, se logrará una mayor cohesión entre los miembros y mejores resultados que redundarán en un mejor funcionamiento de la organización.

Las oportunidades pequeñas son el comienzo
de grandes empresas

Demóstenes 352 a.C.

PLANEAMIENTO ESTRATÉGICO:
EL DIAGNÓSTICO

Análisis FODA

El análisis de fortalezas y debilidades de la empresa, como así también las amenazas y oportunidades del contexto, constituyen la base para confeccionar un diagnóstico de nuestra situación a partir del cual poder determinar estrategias y fijar los objetivos y metas (en inglés se lo conoce con las siglas

SWOT: strong, weak, opportunities, threats) nosotros utilizaremos FODA o DAFO, según diferentes autores.

El análisis FODA es una herramienta de diagnóstico que debe ser realizada previamente a la elaboración de las estrategias. Es de suma importancia ya que nos ayuda a repensar en las potencialidades de la empresa, sus *fortalezas* y determinar nuestras falencias o carencias, las *debilidades*.

Las fortalezas y debilidades son internas, propias de la empresa o de nosotros si es que somos nuestra propia empresa personal.

Por otra parte, existen factores externos a la empresa que pueden constituirse en oportunidades de negocio, de crecimiento o de mejoras mientras que otras situaciones se pueden presentar como una amenaza o situación de riesgo.

Determinados en forma bien pormenorizada las fortalezas y debilidades, se elaboran estrategias oportunas.

Respecto de las fortalezas, las estrategias tienden a su consolidación.

Mientras que las estrategias respectivas sobre las debilidades procuran revertirlas o anularlas según resulte posible.

EL ANÁLISIS FODA

Ejemplo tomado de una "empresa organizadora de eventos empresarios":

Fortalezas
• Rápida respuesta al cambio
• Atención personalizada

- Amplia experiencia
- Idoneidad para satisfacer las necesidades de distintos tipos de clientes
- Transparencia en nuestro comportamiento
- Confiabilidad y confidencialidad en el manejo de la información
- Capacitación permanente del personal de la empresa
- Gran cobertura del mercado
- Prestigio y vinculación empresaria
- Auditoría externa

Debilidades

- Escaso capital de inversión
- Falta de elementos de última tecnología
- Carencia de infraestructura propia

Oportunidades

- Demanda creciente de servicios de eventos empresarios de alta calidad
- Estímulos a las Pymes a través de préstamos a tasas preferenciales
- Posibilidades de establecer alianzas estratégicas con proveedores

Amenazas

- Estabilidad socioeconómica y política
- Competencia en crecimiento progresivo
- Mayores exigencias legales

Dado este simple diagnóstico:

¿Qué estrategia podría utilizarse para eliminar o revertir las debilidades mencionadas?

Una de las respuestas podría ser recurrir al crédito bancario, ya que la demanda está en aumento y hay mayores posibilidades de obtenerlo a tasas preferenciales; pero teniendo en cuenta el grado de estabilidad económica proyectada, con la ventaja de que estamos mejorando nuestra capacidad competitiva.

Como se verá, en la práctica se realiza un análisis cruzado de cada uno de los factores determinados midiendo su impacto en la empresa.

Las unidades estratégicas de negocios

Son las diferentes carteras de negocios que puede manejar una empresa. Consideramos que las unidades de negocios tienen por característica tener un responsable a cargo, un presupuesto y un plan de marketing propio.

La decisión de crear unidades de negocios es una decisión estratégica.

Sin embargo muchas empresas manejan sus productos dentro de una sola unidad de negocios.

Una empresa organizadora de eventos empresariales podría tener, entre otras, las siguientes unidades de negocios:

- Desfiles
- *Showrooms*
- Lanzamientos de productos
- Ferias y exposiciones

Una empresa de ambientación:

❖ Creatividad y diseño

❖ Alquiler de cortinados, amoblamiento, etc.

❖ Sonido e iluminación

El desarrollo de unidades de negocios mejora la eficiencia de la empresa ya que contribuye a una mejor distribución de los recursos, una mejor estrategia de promoción, una mejora en la gestión y, fundamentalmente, en el control de los resultados.

Síntesis del capítulo 2

Como hemos visto, toda organización, ya sea de bienes o servicios, debe tener bien determinada su visión, su misión, y los valores que la sustenta.

Si hemos dicho que misión es la razón de ser de la organización, la meta que moviliza sus energías y sus capacidades, la claridad de sus objetivos es lo que permite su existencia y proyección en el tiempo. De allí que en este momento resulte de mucho valor para usted y su empresa detenerse a analizar y clarificar sus objetivos, metas, plazos y los elementos con los que se cuenta para concretarlos.

El análisis FODA es un diagnóstico de sus fortalezas y debilidades: le permitirá saber en qué punto usted está ubicado; en un tablero de ajedrez, qué piezas deberá mover, cuándo y hacia dónde, y que le hace falta para suplir sus debilidades. También, cómo puede resaltar sus fortalezas.

Creemos que a lo mejor este ejemplo le resulta útil:

En una ocasión me dieron la carpeta de presentación de un hotel para que la analizara.

Estaba todo muy bien presentado, con una introducción en la que se explicaba lo que se ofrecía, servicios, salones, para eventos y en la misma página, luego de detallar algunas características, medidas, menúes, tipos de decoración, decía en un tono imperativo: "deberá abonar los derechos de SADAIC"; tres o cuatro páginas más adelante, sin fotografías, y casi sin que se notara, contaba la forma y los estilos en que podían decorar los salones, el tipo de vajilla, mantelería, cotillón especial y único, etc.

La sugerencia fue la siguiente: si bien es cierto que en algunos casos el cliente debe abonar los impuestos, ¿por qué ponerlo entre las características, beneficios y bondades del hotel?

Entonces invertimos el orden. En las primeras páginas, en color, con diseños y fotografías, se mostraba todo lo que le hotel ofrecía, las ventajas, sus fortalezas, y en la última página, entre los requisitos para la contratación de la sede, figuraba el pago de impuestos. Se decía lo mismo, destacando las virtudes del servicio que incitaban a contratarlo.

SEGMENTACIÓN
DEL MERCADO

La *segmentación* es un proceso de división del mercado en grupos homogéneos, con el fin de llevar a cabo una *estrategia comercial diferenciada* para cada uno de ellos, que permita satisfacer de modo más efectivo sus necesidades y alcanzar los objetivos de la empresa.

Hay empresas que desarrollan una estrategia "indiferenciada", sin embargo, en el mercado de eventos es conveniente procurar una buena segmentación del mercado.

¿POR QUÉ SEGMENTAR?

Éstas son algunas de las muchas ventajas que nos brinda realizar una buena segmentación:

- La segmentación permite visualizar las oportunidades de negocio determinando el mercado existente y el potencial.

- Contribuye de esta forma a establecer prioridades y estrategias.

- Permite determinar cuál es nuestra competencia.

- Facilita dirigir nuestros servicios respondiendo a necesidades y deseos de un público específico.

Cuando uno comienza a definir su mercado de clientes debe tener en cuenta que toda segmentación debe responder a las siguientes condiciones o requisitos:

El poder ser identificado, medido, abastecido resultando rentable para nuestra empresa.

• Identificable

Significa que un segmento será fácil de ser definido entre diferentes tipos de públicos.

Una empresa de alquiler de juegos inflables podría definir que el segmento de clientes al que apunta está conformado por organizadores de exposiciones y de eventos masivos.

• Mensurable

Medible, el segmento debe ser susceptible de ser cuantificado, en cantidad real y potencial.

Si uno va a instalar o dispone de un salón de fiestas infantiles en un barrio, debería saber cuántos niños de entre 4 y 10 años hay en la zona.

• Accesible

El segmento debe ser fácil de ser proveído, ya sea porque llegamos al cliente con nuestros servicios o productos o porque él se llegue hasta nosotros.

En la ciudad de San Justo, provincia de Buenos Aires, hay un importante predio que es utilizado como centro de exposiciones, sin embargo su ubicación carece de infraestructura de transporte adecuada lo cual dificulta el acceso de los asistentes. Tampoco la ciudad cuenta con hotelería adecuada. Estos, entre otros factores, hacen que casi no se realicen eventos en el lugar.

- **Sustanciable**

Por su tamaño o poder adquisitivo el segmento debe justificar económicamente que va a ser suficientemente rentable.

Dedicarnos al alquiler de equipos y sonidos en una localidad donde se realizan pocos eventos, o los salones cuentan con su propio equipamiento podrá resultarnos antieconómico.

- **Posible**

La empresa debe estar en condiciones de satisfacer plenamente a los segmentos elegidos.

Esto es importante ya que podría haber varios segmentos de clientes, cada uno con diferentes requerimientos, por lo que debemos analizar si es factible abastecer a todos manteniendo nuestro nivel deseado de calidad.

JERARQUÍA DE LAS NECESIDADES

El psicólogo Abraham Maslow logró agrupar las necesidades según un orden jerárquico y esto se conoce con el nombre de jerarquía de las necesidades.

Las necesidades se reflejan en una pirámide escalonada de la siguiente forma:

AUTORREALIZACIÓN

ESTIMA - ESTATUS

SOCIALES

SEGURIDAD

FISIOLÓGICAS

En la base se encuentran las necesidades primarias o básicas.

Las necesidades básicas, por lo general, son la primeras en buscar ser satisfechas por los individuos; luego se asciende a procurar la satisfacción de las necesidades secundarias, para culminar en la satisfacción de las necesidades superiores.

No obstante, resulta útil tener presente que, a efectos de segmentar y definir el mercado meta de la empresa de servicios para eventos, el mercado está compuesto por grupos de usuarios, cada uno de los cuales puede ser escogido como el mercado al que la empresa puede dirigir sus esfuerzos.

Hay cuatro criterios clásicos para segmentar a los usuarios: por zona territorial, por datos personales, por características de personalidad, o por sus hábitos y actitudes; de esta clasificación surge la siguiente propuesta:

Formas o criterios clásicos para realizar la segmentación de nuestros mercados:

- *geográfica*
- *demográfica*
- *psicográfica*
- *actitudinal o por conducta*

Segmentación geográfica

Segmentar geográficamente consiste en determinar el territorio o zona en la cual se encuentran nuestros clientes.

¿Cómo se puede segmentar geográficamente la Capital Federal?

Por ejemplo: se la divide en Zona Norte; Oeste; Sur; Centro; Microcentro, o por barrio.

Segmentación demográfica

Agrupamos a los individuos según *variables cuantitativas* tales como:

- Sexo
- Edad
- Nivel de ingresos
- Educación
- Ocupación
- Estado civil
- Nacionalidad

Los datos demográficos puede ser obtenidos del censo nacional y publicados por el INDEC (Instituto Nacional de Estadísticas y Censos); también de bases propias o adquiridas en el mercado.

Así podemos saber cuántas personas aproximadamente residen en tal o cual lugar.

Capital Federal y Gran Bs. As.	13.000.000 de habitantes
Córdoba y Gran Córdoba	2.000.000
Rosario y aledaños	1.200.000
Mendoza y aledaños	1.000.000

Estas provincias son el 50% del país y representan en consumo más del 60%

En marketing, agrupamos a las personas según nivel socioeconómico en los sectores A, B, C, D, E.

A su vez, algunas categorías como la C se subdividen en C1 C2 C3, en estas tres subcategorías estaría incluida lo que comúnmente denominamos clase media.

El sector A incluye al mayor nivel socioeconómico mientras que E abarca a las personas con necesidades básicas insatisfechas (Maslow), es decir aquellos que están por debajo de la línea de pobreza.

NSE. El nivel socioeconómico esta determinado por

Nivel de ocupación	40 puntos
Nivel de estudios	32 puntos
Patrimonio	14 puntos
Automóvil	14 puntos
Total	100

La posesión de algunos bienes y servicios, según un muestreo de hogares, se reflejaba en porcentajes de la manera siguiente:

TV con control remoto	91 %
Teléfono	72 %
Heladera con freezer	61 %
Videograbadora	52 %
Cable	48 %
Automóvil	32 %
Tarjeta de crédito	29 %
Computadora personal	25 %
Teléfono celular	28 %
Caja de ahorro	18 %
Medicina prepaga	17 %
Acondicionador de aire	9 %

Capital y GBA todos los NSE. Muestra 800 hogares, Capital y GBA. Fuente: ACNielsen, 2000

Segmentación psicográfica

Otra forma de segmentar el mercado consiste en agrupar a los individuos según características o *variables cualitativas* tales como:

- *Su estilo de vida*
- *Su personalidad*
- *Sus creencias*

Para entender esto veremos un ejemplo práctico.

En 1950 se suponía que los compradores de un automóvil Ford, respondían al siguiente perfil:

Independiente, impulsivos, machistas, atentos al cambio, y seguros de sí mismos.

Los clientes de un Chevrolet eran conservadores, ahorrativos, buscadores de prestigio, menos machistas.

Se realizaron testeos y no pudieron comprobarse diferencias entre los compradores de Ford o Chevrolet según la marca, aunque sí se podía diferenciar en ambas marcas las personalidades de los compradores según el modelo ya fuera éste un auto deportivo a uno familiar.

En la mayoría de las reuniones sociales para adultos se sirven bebidas alcohólicas. De ahí que para profundizar el tema de las características psicográficas observaremos la personalidad de cuatro tipos diferentes de personas bebedoras que pueden ser observadas en los eventos sociales.

Bebedor gourmet: no alcohólico; toma para saborear, es degustador, sabe reconocer la calidad del producto; privilegiará la calidad del producto ofrecido en el evento.

Bebedor Social: no alcohólico; toma en ocasiones, por lo general en eventos; busca la aceptación social o por necesidad de pertenencia; se deja influenciar por las opiniones de los bebedores gourmet, más que por su propio gusto; se autolimita en el consumo.

Bebedor Indulgente: toma por presión del medio social; este individuo, puede terminar siendo un alcohólico; no hace selección, mezcla bebidas, no tiene límite de consumo.

Bebedor Compulsivo: es alcohólico; la bebida para él es un estimulante.

Dos personas demográficamente iguales pueden resultar muy distintas psicográficamente:

A	*B*
Deporte: golf	Deporte: fútbol
Lee: libros	Revistas deportivas
2 hijos	2 hijos
San Isidro	San Isidro
Gerente	Gerente
Universitario	Universitario
$ 5000	$ 5000
Vacaciona en la costa	En la motaña
Concurre al Teatro	No suele ir al teatro
Peugeot 406	Golf GTI 3p

Segmentación por actitud o conducta

Esta forma de segmentar el mercado se basa en agrupar a los integrantes del mercado meta según su comportamiento manifiesto, así habría clientes con hábitos determinados, podríamos mencionar entre ellos:

Ocasión de compra

❖ ¿Cuándo compra o utiliza nuestros servicios?

- ¿A fin de año?
- ¿Los días viernes?
- ¿Feriados largos?

Beneficios requeridos

- ¿Qué busca el cliente?
- Por precio – calidad – buen servicio – comodidad

Condición del usuario

Usuarios

- Regulares o sistemáticos
- Ocasionales

Grado de lealtad

Entenderemos por lealtad absoluta, aquellos clientes que teniendo la opción de elegir a otras empresas o productos, recompran o recontratan con nosotros.

- Sin lealtad
- Lealtad compartida
- Absoluta

Por volumen

❖ ¿Qué cantidad nos compra?

- Pequeña
- Mediana
- Grande

Según la tasa de uso

❖ ¿Cuántas veces utiliza el servicio?

- Bajos
- Regulares
- Intensivos

Posición hacia el producto

- Negativa
- Indiferente
- Positiva

Estos grupos o segmentos a quienes podríamos dirigirnos con nuestra oferta de servicios de eventos pueden ser:

- *Individuos*
- *Familias*
- *Empresas*
- *Organizaciones no gubernamentales*
- *Organizaciones Públicas*

Ejemplo de Segmentación de mercados adaptado de una empresa organizadora de fiestas infantiles

- **Descripción del Mercado Meta**

Nuestros clientes son jóvenes con una alta atracción por los espacios modernos y las alternativas diferentes.

El producto MENORES, cualquiera que sea, no es un producto masivo, va dirigido a determinado público de niños y adolescentes, clase ABC1/2, de colegios privados, que están a la moda y con las últimas novedades, la mayor parte tiene e-mail y chatea en su tiempo libre y siempre buscan actividades diferentes, son innovadores y muy impulsivos, bastante influenciados por sus grupos y realizan muchas actividades deportivas y sociales.

Sobresalen por su estilo de vida.

Viajan con sus familias al exterior dos veces al año como mínimo y mantienen un alto nivel de vida, ya que los ingresos mensuales en el grupo familiar alcanzan o superan los $ 8.500.

Segmentación demográfica del mercado meta

Se dividen en dos públicos o segmentos de edades, con características diferentes:

- KIDS: menores de 6 a 11 años
- MATINÉ: menores de 11 a 16 años

La diferencia primordial entre ambos es la independencia con respecto a sus padres, independencia que un grupo (1) no tiene y que intenta tener el otro (2). Independencia que se manifiesta en el tipo de actividad que quieren realizar.

Es por esto que los productos dirigidos a KIDS son dirigidos a sus padres / mayores / tutores / coordinadores y los productos dirigidos a MATINÉ, son dirigidos directamente a ellos, que a esa edad van incorporando una decisión de compra más autónoma.

Síntesis del capítulo 3

Según vamos avanzando podemos decir entonces que hay empresas que desarrollan una estrategia indiferenciada; sin embargo, en el mercado de eventos es conveniente procurar una buena segmentación del mercado que permitirá orientar nuestros servicios y recursos respondiendo a las necesidades y deseos de un público específico.

Reconociendo sus características podremos estar más seguros de que estamos ofreciendo lo ideal para esa persona, empresa, institución, etc.

Ya hemos visto cómo segmentar ese mercado; ahora lo que debemos hacer es ofrecer lo que le gusta, necesita o interesa.

También deberemos tener en cuenta la moda, las nuevas tecnologías, la psicología, las motivaciones.

Una decoración minimalista puede no interesar a un cliente que le gusta lo recargado, lo barroco; asimismo a un público melómano entusiasta de la música clásica le agradará escuchar un trío de violines al terminar una comida mientras que otro solicitará un conjunto de rock violento.

Por lo tanto, una de las premisas será conocer muy bien al cliente para acertar lo más posible con nuestra propuesta.

Tener y aplicar criterios de segmentación es indispensable, no será lo mismo la organización del lanzamiento de un producto de elite en un hotel de Puerto Madero, que el de un producto de consumo masivo que podrá hacerse en eventos simultáneos en todo el país.

INVESTIGANDO
NUESTRO MERCADO

Los estudios de mercado abarcan una serie de investigaciones cuyo objeto es contrastar una hipótesis formulada desde la empresa con lo que ocurre en el mercado y con lo que realmente induce o motiva a los consumidores.

Por lo tanto, los estudios pueden realizarse a priori, es decir, antes de diseñar el plan o de ponerlo en marcha, y a posteriori, que son las investigaciones dirigidas a saber el impacto logrado en el mercado, o la opinión de los consumidores sobre las acciones que se hayan desarrollado.

También es común realizar estudios durante una campaña a fin de comprobar su grado de efectividad y, de ser necesario, rectificar el plan trazado. Por ello suelen lanzarse campañas piloto o de testeo antes de lanzar una campaña masiva o a gran escala.

La investigación de mercado bien realizada (reemplaza el "ojímetro") suministra una valiosísima información sobre el objeto de estudio. Como los objetos de estudios son innumerables los agruparemos en cuatro áreas.

Las áreas de investigación

Cada empresa es peculiar y requiere diferentes datos según sus objetivos.

Los métodos clásicos que estudiaremos deben considerarse desde una perspectiva referencial y orientadora.

No obstante las principales áreas a investigar son:

1. Los clientes
2. Los productos/servicios
3. El mercado
4. La comunicación

1. Son investigaciones dirigidas a identificar y obtener una tipología media de los consumidores. Sus hábitos y motivaciones de compra, de consumo, de uso y motivaciones que los movilizan a realizar y contratar eventos.

2. Se denomina test de productos, tratan de determinar aspectos tales como:

   Qué características debe reunir para determinado target (o perfil de cliente) el producto ideal, cuál es la imagen o importancia del nombre corporativo, etc.

3. El mercado tiene que ver con investigar a la competencia, los canales de distribución: precio, forma de pago, punto de venta, etc.

4. Apunta al conocimiento de los medios, la comunicación publicitaria y todas las nuevas formas posibles de difundir un evento.

ETAPAS DE UNA INVESTIGACIÓN DE MERCADO

1. DETERMINACIÓN DEL OBJETIVO

Se trata de definir con exactitud qué se quiere saber, en qué grado y circunstancias.

Puede partirse de una hipótesis que será sometida a contrastación. Se le dará validez o no.

Ejemplo de hipótesis:

En verano los clientes de alto poder adquisitivo preferirán hacer sus fiestas sociales en espacios abiertos y soleados (quintas o estancias).

2. ELECCIÓN DE LAS FUENTES

En las investigaciones hay que autolimitarse en las fuentes ya que son muy numerosas por lo general. Sí es importante recurrir a fuentes diversas primarias y secundarias.

3. TRABAJO DE CAMPO

Se conoce como trabajo de campo a las tareas concretas, tales como lectura de materiales, confección y ejecución de cuestionarios, observaciones, etc.

4. PROCESAMIENTO DE LA INFORMACIÓN

Consiste en ordenar los datos y clasificarlos, tabularlos y resumirlos.

5. El ANÁLISIS E INTERPRETACIÓN DE LOS RESULTADOS

En esta fase se realiza el análisis y la valoración final de los resultados obtenidos sacando las conclusiones oportunas que quedarán en un informe final.

INVESTIGACIONES CUANTITATIVAS Y CUALITATIVAS

Hay investigaciones de tipo cuantitativa y cualitativa.

Esta distinción se hace en función de los objetivos de la investigación.

Cuando se trata de objetivos que pueden medirse, es decir que resulta fácil traducir lo observado a cifras, hablamos de estudios cuantitativos.

Ejemplo:

Una empresa de catering o una de alquiler de vajilla podría estudiar la calidad de su atención telefónica.

Respecto de la opinión de la persona que llamó ésta podrá ser encuadrada dentro de las siguientes opciones de respuesta:

Excelente, muy buena, buena, regular, mala, pésima. También podríamos medir el tiempo de espera, número de llamadas de entrada, número de llamadas de salida, malas contestaciones, agradecimientos, etc.

MANERA DE EFECTUAR UNA INVESTIGACIÓN

Según Jorge Padua, los pasos a tener en cuenta serían:

En primera instancia la obtención de:

• *Documentación descriptiva*
• *Documentación explicativa*

Estudio de la situación, observación participante y entrevistas cualitativas con personas clave (aquellas que pueden brindarnos información valiosa).

Luego establecer un sistema de hipótesis para llevar a cabo la investigación.

MÉTODOS DE INVESTIGACIÓN

La elección del método variará según el objetivo a investigar. Pero también suelen intervenir en la elección el tiempo disponible, el presupuesto y otros medios.

Los métodos más usuales son:

- Las entrevistas
- Las sesiones o reuniones de grupo (focus group)
- La observación (participante o no participante)

Las entrevistas pueden ser estructuradas, semiestructuradas o no estructuradas.

Las entrevistas estructuradas utilizan como instrumento de recolección de datos un *cuestionario* y comúnmente son denominadas *encuestas*.

Las encuestas pueden realizarse de formas diferentes:

- Personalmente
- Por correo
- Por teléfono

En eventos es habitual utilizar encuestas autoadministradas (es decir respondidas por el participante o asistente a un evento sin ayuda o presencia de un entrevistador) para conocer sus opiniones y preferencias.

Es común y sumamente útil que al finalizar un seminario o un congreso se invite a los concurrentes a vertir sus opiniones en una encuesta impresa y que generalmente se entrega junto a los materiales al inicio del mismo.

Las empresas proveedoras de insumos o servicios para eventos deberían frecuentemente hacer encuestas de opinión entre sus clientes y también con los de la competencia.

Los *Focus Group* son reuniones con un grupo de personas invitadas a dialogar sobre un tema. El número de participantes ideal es de diez asistentes, un coordinador conduce la charla a través de preguntas abiertas que posibilitan el libre desarrollo de ideas.

Puede utilizarse para conocer la opinión de asistentes a eventos, respecto de cómo mejorarlos o hacer innovaciones, analizar comunicaciones publicitarias, o previo al lanzamiento de un evento nuevo.

Organizar reuniones con clientes, proveedores o asistentes a eventos nos proporcionará nuevas ideas creativas, o un mayor conocimiento de sus necesidades, deseos, o hábitos de compra.

La observación es una técnica fácil, pero requiere meticulosidad y capacidad de selección.

Se puede hacer una observación de tipo participante o no participante.

En la primera el observador está involucrado con la situación en estudio u observación; por ejemplo, concurre invitado a una fiesta social y, mientras participa del encuentro, se dedica a observar, la ambientación del lugar, cómo es el servicio, degustar el catering, etc.

La no participante requiere la no intervención en el proceso. Para ello el observador no se involucra. Podemos observar, por ejemplo, el armado de una exposición las cuarenta y ocho horas previas a su apertura.

SÍNTESIS DEL CAPÍTULO 4

Este capítulo es complementario con el anterior en el que vimos la segmentación del mercado; nos orienta a la forma en que debemos hacer el estudio del mismo.

La elección de las fuentes de datos y las investigaciones cuantitativas y cualitativas son el elemento básico del método de investigación.

En algunos casos utilizaremos sólo una de ellas, en otros relacionaremos todas las técnicas. A veces será en forma simultánea, otras alternadas, analizando los resultados y viendo qué debemos corregir o qué debemos aplicar para que logremos nuestro objetivo.

Puede ser que usted tenga otras ideas o estrategias para la investigación; mientras le den resultados medibles, verificables y reales todas serán buenas.

De esta manera, por ejemplo, un servicio de gastronomía que realiza encuestas también entre su personal, podrá detectar los momentos álgidos del servicio, los cuellos de botella de la cocina, la necesidad de modificar horarios, tipo de servicio, etc.

El personal de contacto, el que está en la línea de fuego, en un evento (sea auxiliar de sala de un congreso, el personal de acreditación, de seguridad, o cualquier persona afectada a un evento) podrá darle información muy valiosa para su empresa. Los mismos clientes, si son motivados a llenar un cuestionario al final de un evento le brindarán una evaluación sobre cómo percibieron su servicio, una fiesta, una exposición, un congreso o una conferencia.

PRODUCTO/SERVICIO

Para comenzar el tratamiento de este capítulo definiremos como producto, *a toda oferta de bienes y servicios susceptibles de ser adquiridos.*

Antes de profundizar la temática específica de los servicios veremos qué sucede con los productos físicos o bienes tangibles, ya que los eventos se ven provistos por innumerables productos físicos.

Siguiendo la teoría de Philip Kotler, podremos observar que, en general, los productos físicos pueden ser estudiados o analizados en base a tres dimensiones que los conformarían:

El producto base, el producto real, y lo que él denomina como el producto aumentado.

¿QUÉ ES EL PRODUCTO BASE O GENÉRICO?

El producto genérico o base es aquel cuya existencia hace en sí mismo al producto vendido y cuya desaparición haría que el cliente no tuviera interés en él; por ejemplo, el líquido contenido en una gaseosa, o el vino espumante.

¿QUÉ ES EL PRODUCTO REAL?

Los productos denominados base o genéricos suelen ser provistos a los consumidores contenidos dentro de un envase, así lo recibe el consumidor, *es el producto real.*

Los envases suelen ser de diferentes materiales y confieren imagen al producto, además de protección. Son el contenedor o vestido del producto: una caja, un blíster, una botella, etc.

El envase tiene diseño, y lleva una serie de comunicaciones impresas, como nombre o marca, contenido, empresa fabricante, fecha de vencimiento, código de barras, etc.

Tal como mencionamos, los envases presentan comunicaciones gráficas, algunos en prospectos incorporados y todos en su exterior; las comunicaciones son mensajes, dibujos, logos, nombres y marcas. Estas comunicaciones pueden ser agrupadas como comunicaciones técnicas o legales, de imagen y de promoción.

Todos los especialistas en marketing en general sostienen que un producto puede llegar a presentar al menos, tres niveles.

Cada nivel le incorpora mayor valor de apreciación por parte del cliente.

El primer nivel está representado y es denominado: *producto base o genérico.*

El segundo nivel es el denominado *producto real* y está compuesto por el producto base más el envase y las diversas comunicaciones incluidas en o dentro de él.

Finalmente podemos tener un tercer nivel al que se denomina *producto aumentado.*

¿QUÉ ES EL PRODUCTO AUMENTADO?

El producto aumentado consiste, por lo general, en servicios complementarios que acompañan al producto y perduran en el tiempo pero que no lo constituyen intrínsecamente; su desaparición no modificaría al producto real. Son ejemplos: la garantía de calidad, de servicio técnico, los 0800, la financiación, etc.

Veamos ahora un ejemplo aplicado a la oferta de servicio de *un salón de fiestas*:

> **Producto básico:** salón.

> **Producto real:** salón, catering, mozos, vajillas, disc-jockey, ambientación.

> **Producto aumentado:** financiación y otros beneficios que pueden brindarse. De ser un hotel o una estancia, podría incluir como atención el alojamiento o el servicio de traslados sin cargo.

Supongamos que usted organiza "Expohelados" en el predio de la Sociedad Rural:

- *¿Cuál es su producto base?*
- *¿Cuál es el real?*
- *¿Cuál podría ser el aumentado?*

Si usted alquilara carpas y sillas para eventos al aire libre, ¿cómo respondería a esas mismas preguntas?

El servicio como producto y la comprensión de las dimensiones de las cuales está compuesto es fundamental para el éxito de cualquier empresa de servicios.

Tal como ocurre con los bienes (productos físicos), los clientes exigen también beneficios y satisfacciones de los servicios (productos no tangibles).

Recuerde*: los servicios se compran y se usan por los beneficios que ofrecen, por las necesidades que satisfacen y nunca por sí mismos.*

El servicio visto como producto requiere tener en cuenta la gama de servicios ofrecidos, la calidad de los mismos y el nivel al que se entrega. También se necesita prestar atención a aspectos como el empleo de marcas, garantías y servicios posventa. La combinación de los productos de servicio de esos elementos puede variar considerablemente de acuerdo al tipo de servicio prestado.

Las organizaciones de servicios necesitan establecer vinculos entre el producto de servicio según lo reciben los clientes y lo que ofrece la organización.

Al hacerlo así es útil plantear una distinción entre diferentes conceptos.

EL CONCEPTO DE BENEFICIO

A partir de la idea del beneficio para el consumidor es posible definir el concepto del servicio.

La clarificación, elaboración y traducción del concepto de beneficio del consumidor plantea varios problemas para quienes brindan servicios.

Primero, los servicios ofrecidos se deben basar en las necesidades y beneficios buscados por consumidores y usuarios.

Pero los consumidores y usuarios pueden saber con claridad o no lo que necesitan; por esta razón pueden surgir dificultades debido a que no saben lo que esperan, a la inexperiencia de lo que se requiere o a la poca habilidad para expresar sus necesidades.

En segundo lugar, los beneficios buscados pueden cambiar con el tiempo debido a experiencias buenas o malas en el uso del servicio, a través de nuevas expectativas o cambios en los hábitos de consumo del servicio.

En tercer lugar, existen problemas prácticos para determinar la importancia de los beneficios buscados en los servicios, las preferencias entre ellos y los cambios en su importancia.

El punto de vista del consumidor debe ser el foco central para dar forma a cualquier servicio que se va a ofrecer, ya que este consumidor, en cierto sentido, ayuda a fabricar su propio "producto" a partir de una serie de posibilidades ofrecidas.

EL CONCEPTO DE SERVICIO

Este concepto es la definición de lo que ofrece la organización de servicios con base en los beneficios buscados por los clientes; es decir, en qué negocio se está y qué necesidades y deseos se tratan de satisfacer. Lo cual constituye su misión o sentido de existencia.

La definición del concepto de servicio debe ir seguida de la traducción de dicho concepto en una oferta de servicio y en el diseño de un sistema de entrega del servicio.

1) La oferta del servicio

La oferta de servicio se refiere a dar una forma más específica y detallada a la noción básica del concepto del servicio.

La forma de la oferta del servicio se origina en decisiones relacionadas respecto a qué servicios se suministrarán, cuándo se suministrarán, cómo se ofrecerán, dónde y quién los brindará.

Estas están entrelazadas y no se pueden separar de las decisiones sobre el sistema o forma de prestación del servicio.

2) El sistema o forma de prestación del servicio

El nivel final de análisis necesario para definir el producto de servicio es un factor íntimamente relacionado con el sistema de entrega o prestación del mismo.

Como se mencionó anteriormente, el proceso de origen y prestación del servicio es un componente integral de este producto. A diferencia de un bien tangible, en el que la manufactura y la comercialización son procesos separados, en el marketing de servicios estos dos elementos son inseparables. Tal como veremos los servicios son inseparables de su productor o del organizador, y en la mayoría de los casos, también del cliente.

Varios elementos son importantes en casi todos los sistemas de entrega del servicio, como la gente y los objetos físicos (o evidencia física), los que serán analizados más adelante.

Con base en todo lo anterior es evidente que un producto de servicio constituye un fenómeno complejo. Consta de una serie de elementos cada uno de los cuales debe tener en cuenta el organizador profesional de eventos (OPE) al manejar su organización.

El manejo de una organización de servicios requiere una clara comprensión de estos elementos y de las relaciones e interacciones entre ellos.

La gerencia exitosa de una organización de servicios solamente se puede lograr mediante la integración sensata de los factores que comprenden el servicio desde el punto de vista del proveedor con las expectativas y percepciones del consumidor.

Esta es una tarea difícil, acrecentada por el hecho de que pocas organizaciones de servicios tienen solamente un servicio.

La mayor parte de ellas ofrece una línea de servicios.

El ciclo de vida de los productos

Los productos, desde su aparición, transitan en el mercado pasando por diferentes etapas que marcan su crecimiento y hasta su desaparición. Esta muerte puede ocurrir por desinterés de los clientes o por sustitución, ya sea modificaciones o productos totalmente novedosos que los reemplazan. Esto ha ocurrido en los eventos sociales como las fiestas de compromiso.

Características

Tal como mencionamos durante su permanencia en el mercado, un gran número de productos pasan por las siguientes etapas, aunque no todos llegan a cumplirlas en su totalidad; la mayoría son introducidos al mercado y salen del mercado sin llegar a las otras etapas y otros continúan en alguna de las etapas ya sea creciendo o en la etapa de madurez. Veamos a qué nos estamos refiriendo:

Etapa de introducción

Caracterizada principalmente por la ausencia de competidores, crecimiento lento de las ventas, reducido número de canales de distribución y gran esfuerzo de la empresa pionera para crear la demanda de este tipo de eventos.

1 - Baby Shower, festejo de divorcio; Te Shower, Family Day (empresario).

Crecimiento

Fase siguiente, en la que aparecen competidores, crecen rápidamente las ventas y aumenta el número de distribuidores. El precio del producto se reduce y las marcas o empresas organizadoras tratan de diferenciar sus productos.

2 – Ferias y exposiciones de corta duración, eventos deportivos: maratón; congresos.

Madurez

Durante este período, la velocidad de crecimiento de las ventas disminuye, los costos de producción son optimizados para poder reducir el precio, los esfuerzos por diferenciar el producto son aún mayores.

3 – Fiestas de cumpleaños, Bar Mitzvot (fiesta judía), casamientos, comuniones.

Declive o declinación

Última fase que se caracteriza, principalmente, por la aparición de nuevos sustitutos en el mercado y una disminución fuerte de la demanda, cuyo ritmo de crecimiento es inferior al de la evolución demográfica. Están en esta etapa:

4 – Fiesta de 18 años (para varones), bodas de plata, fiesta de compromiso.

1. Introducción

2. Crecimiento

3. Madurez

4. Declinación

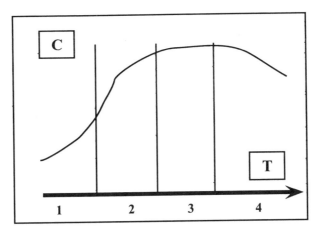

C: es el crecimiento, o cantidad de eventos realizados;
T: la cantidad de días transcurridos.

ANÁLISIS DE LA CARTERA DE NEGOCIOS

La matriz de la Boston Consulting Group o BCG

Analiza los productos de acuerdo al grado de crecimiento y nivel de participación (ha quedado en desuso últimamente, pero es un interesante modelo de estudio).

Ambas variables se dividen en altas y bajas, con lo cual quedan determinados cuatro cuadros.

Si el crecimiento es alto y la participación baja el producto constituye un *INTERROGANTE*.

Si el crecimiento es alto y la participación alta, el producto se denomina *ESTRELLA*.

Si el crecimiento es bajo y la participación es alta, el producto es una *VACA* .

Pero si el crecimiento es bajo y la participación es baja el producto es denominado *PERRO*.

De acuerdo a la situación en la que ubiquemos a nuestros productos, la estrategia a establecer será:

Con los interrogantes, invertir y tratar de transformarlos en estrella.

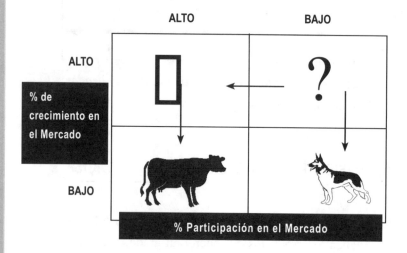

Con los servicios estrella, aprovecharlos y acrecentarlos.

Con los productos "vaca", mantenerlos.

Los servicios "perro" convendrían reformularlos, innovarlos para que comiencen a crecer nuevamente. Algunos servicios considerados "perro" son mantenidos por las empresas para satisfacer a clientes antiguos, o muy tradicionalistas.

SÍNTESIS DEL CAPÍTULO 5

En este libro –que deseamos sea de ayuda para organizadores y poveedores de eventos– llegamos a la definición de producto (ya sean bienes o servicios indistintamente).

Ya tenemos conocimiento de que existe un producto básico, otro real y otro aumentado. Podríamos hacer un paréntesis y analizar qué es lo que brindamos y en cuál de esos puntos está nuestra empresa.

Esto nos permitirá ser creativos y pensar si estamos realmente dando todo lo que somos capaces o lo que nuestra empresa puede ofrecer. Desde el momento en que hemos captado un cliente, lo importante es ver qué más le podemos ofrecer, no solamente porque esto redundará en un mayor beneficio (sea de imagen, económico, de ahorro de tiempo o de energía, o facilitando los pasos de la organización) sino porque también podremos atraer a otro tipo de clientes.

En este caso, es de suma importancia conocer en qué ciclo de vida están nuestros productos o servicios y referenciarlos a la Matriz BCG.

Así veremos a qué servicios debemos darles prioridad y qué necesita de mayor difusión, o a qué parte de nuestra organización debemos darle, a lo mejor, más recursos, para que se cumpla su ciclo de vida y podamos mantenerlo en las etapas de crecimiento y madurez que son las más rentables.

PLAZA
(PLACE)

Todas las organizaciones, ya sea que produzcan tangibles o intangibles, deben tomar decisiones sobre esta variable: *plaza,* es decir, los canales de comercialización, sitio o punto de venta, entrega, distribución, ubicación o cobertura; o sea, aspectos relativos a cómo se ponen a disposición de los usuarios las ofertas y se las hacen accesibles a ellos.

La plaza es un elemento de la mezcla del marketing que ha recibido poca atención en lo referente a los servicios debido a que siempre se la ha tratado como algo relativo al lugar y al movimiento de elementos físicos, mesas sillas, stands.

Los intermediarios son comunes. Algunos de estos intermediarios asumen sus propios riesgos, realizan funciones que permiten el movimiento físico, otros venden.

En realidad, no existe ninguna uniformidad en las funciones realizadas por los intermediarios. Pero esta cuestión no debe obviar la verdad fundamental de que las organizaciones que operan en el mercado de servicios tienen dos opciones principales, y que ambas son las mismas para productores de elementos físicos como para quienes deciden brindar servicios.

Estas opciones son dos: la venta propia o por medio de intermediarios.

Los proveedores de productos físicos para eventos deben tener en cuenta la importancia de la plaza, el punto de venta o de prestación del servicio, decidir en qué nivel del canal de comercialización se ubicarán, fabricante, distribuidor, mayorista, importador, etc.

Empresas de cotillón para eventos son fabricantes e importadores, venden al por mayor y al por menor. En estos últimos, usted puede realizar sus compras como autoservicio, los organizadores por lo general son asistidos por vendedores.

VENTA POR CUENTA PROPIA

La venta directa al consumidor final puede ser el método escogido para un servicio por elección o debido a la inseparabilidad del servicio y del proveedor.

Cuando se decide hacer venta propia, la empresa toma en cuenta que podrá mantener un mejor control del servicio, obtener diferenciación perceptible del servicio o mantener información directa de los clientes sobre sus necesidades.

Naturalmente, la venta propia tiene dos vías la puede realizar el cliente yendo donde se encuentra el proveedor o el proveedor visitando al cliente.

Muchos servicios personales y comerciales se caracterizan por el canal directo entre la organización y el cliente.

Empresas de catering brindan sus servicios en las casas de los clientes, como a salones, etc.

En la venta propia resulta muy útil el apoyo publicitario, los impresos, los catálogos, el mailing y el telemarketing.

TERCERIZAR LA VENTA

Un canal que puede ser utilizado en organizaciones de servicios es el que opera a través de intermediarios, o la tercerización de la venta.

Los shows para eventos son vendidos en forma tercerizada por los representantes de los salones al consumidor final.

Las estructuras de canales de servicios varían considerablemente y algunas son muy complejas.

En los mercados de servicios existen muchas formas de intermediarios.

Las posibles formas de intermediación son numerosas y en algunas transacciones de servicios pueden participar varias organizaciones.

Relacionado con la elección de métodos de distribución para los servicios está el problema de la ubicación. Sea cual fuere la forma utilizada de distribución, la localización de los intermediarios será un factor importante.

La ubicación puede variar en importancia de acuerdo con la naturaleza del servicio vendido.

La ubicación puede carecer de importancia para los servicios que se realizan donde está el cliente. Por ejemplo, una empresa de catering respecto de un salón de eventos o un evento en una empresa.

Por lo tanto, la ubicación de cualquier servicio es de menor importancia que para servicios realizados en un sitio específico. Sin embargo, lo que es definitivo acerca de esos servicios es su "accesibilidad" o "disponibilidad" para el cliente cuando se requiere el servicio. Un elemento importante en el diseño de estos servicios es, entonces, el sistema de comunicaciones que debe permitir respuesta rápida a las llamadas del cliente.

Para establecer y cumplir normas en estas organizaciones de servicios se requieren decisiones sobre el nivel de servicios que se ofrezca.

La importancia definitiva de la ubicación en muchas operaciones de servicios da como resultado métodos más sistemáticos que antes. La intuición sigue desempeñando su papel como parte en la toma de decisiones, pero cada vez se complementa más con análisis más cuidadosos y metódicos en el campo de los servicios. Los vendedores de servicios cada vez tienen mayor conciencia de la importancia que tiene la elección de la ubicación y de los canales en la mezcla de marketing.

Otras variables a considerar serán: el personal, la evidencia física y el proceso.

Personal

El personal del servicio está compuesto por aquellas personas que prestan los servicios de una organización a los clientes.

El personal de servicios es importante en todas las organizaciones, pero es especialmente importante en aquellas circunstancias en que, no existiendo las evidencias de los productos tangibles, el cliente se forma la impresión de la empresa basado en el comportamiento y actitudes de su personal.

El personal de servicios incluye operarios, empleados jefes de cocina en restaurantes, recepcionistas en los hoteles, guardias de seguridad, telefonistas, personal de reparaciones, servicio y camareros entre otros.

Esta gente puede desempeñar un papel de "producción" u "operativo", pero también puede tener una función de contacto con el cliente en las organizaciones de servicios. Su comportamiento puede ser tan importante como para influir en la calidad percibida de un servicio como el comportamiento de un personal de ventas.

Por eso es definitorio que este personal del servicio realice su trabajo efectiva y eficientemente ya que ellos pasan a constituir un importante elemento de valor en el marketing de la empresa. Igualmente, adquiere suma importancia que las medidas de efectividad y eficiencia de una organización incluyan un elemento fuerte de orientación al cliente entre su personal.

La importancia del personal en las empresas de servicios, por lo tanto, es relevante en el diseño de las estrategias de marketing. Sin embargo, muchas veces, lo que menos se entiende es que la gerencia de marketing debe participar en los aspectos operativos de la realización del trabajo, debido a la importancia de las variables de tipos de personas del servicio para la calidad de los servicios ofrecidos. La forma como se presta un servicio puede influir en la naturaleza de las relaciones que existen entre el personal de una organización de servicios y sus clientes, lo que finalmente influirá en la imagen de la empresa.

Estas relaciones no se deben dejar al azar y son una responsabilidad del marketing así como también constituyen una responsabilidad operativa.

"La venta de un servicio y la prestación del servicio rara vez pueden separarse". Solamente con servicios automáticos y mecanizados la gente participa poco en las transacciones de servicios.

En consecuencia los seres humanos pueden desempeñar un papel exclusivo en el marketing y la producción de servicios. Esto tiene consecuencias importantes, pues es evidente que las personas constituyen un elemento fundamental de cualquier estrategia de servicios y son un elemento en cualquier mezcla del marketing.

Lo que distingue a las empresas de servicios de las compañías de bienes industriales es que el consumidor puede llegar a ponerse en contacto con personas cuya función primordial es realizar un servicio.

El personal de servicio incluye a aquellos miembros de la organización que están en contacto con el cliente (personal de contacto) y a aquellos miembros que no están en contacto con los clientes. Parte de este personal será visible para el cliente durante la compra y consumo de un servicio. Otro no lo es.

El contacto del cliente es su presencia física en el sistema de servicio y la creación del servicio es el proceso del trabajo implícito en la prestación del servicio.

Este contacto puede ser alto o bajo, y dependerá del porcentaje del tiempo total que el cliente está en el sistema en comparación con el tiempo relativo que insume en atenderlo. Los diferentes tipos de sistemas de servicios tienen consecuencias en diversas formas. De este modo influyen en el proceso de la presentación del servicio. En este contexto, *debido a que la realización humana puede influir tanto en la realización del servicio, en las empresas de alto contacto la calidad del servicio resulta ser inseparable del personal del servicio.*

Otra idea útil sobre la importancia del personal para el tipo y calidad del servicio que obtiene un cliente es la distinción entre los tipos de calidad.

El tipo de servicio que un cliente recibe puede estar definido tomando dos elementos: la calidad técnica y la calidad funcional:

Calidad técnica

Se refiere a "lo que" el cliente recibe en sus interacciones con las empresas de servicios.

Puede ser susceptible de medida como cualquier producto y forma un elemento importante en cualquier evaluación que el cliente haga sobre el servicio.

Calidad funcional

La calidad funcional se refiere a "cómo" se transmiten los elementos técnicos del servicio. Dos componentes importantes de la forma respecto a cómo se suministran los elementos técnicos de un servicio son: el proceso y la gente que participa en la operación del sistema.

La calidad funcional puede ser menos susceptible de medida objetiva. No obstante, forma un elemento importante en cualquier evaluación que el cliente haga sobre un servicio.

La calidad funcional consta de varios elementos: actitudes de los empleados; las relaciones entre ellos; la importancia de los empleados que tienen contacto con los clientes; la apariencia del personal; la accesibilidad general para los clientes; la propensión general del personal hacia el servicio.

Hay varias maneras para que una empresa de eventos pueda mantener y mejorar la calidad del personal y su rendimiento.

Algunas de las formas podrán ser:

• Selección cuidadosa y capacitación, buena comunicación;

• El marketing interno;

• Métodos que logren un comportamiento uniforme;

• Control.

En la práctica, con frecuencia hay superposición entre acciones y usos en cada categoría y es posible considerar otras posibilidades.

Cada una de estas acciones serán detalladas a continuación.

Selección y capacitación del personal de servicio

Es evidente que el personal de contacto con los clientes debe seleccionarse y capacitarse cuidadosamente. Los principios de la buena gerencia de personal y capacitación se aplican tanto a este grupo de empleados como a cualquier otro grupo de la organización.

La consecuencia clara de la importancia del contacto personal para muchos servicios es que los programas de reclutamiento, selección, capacitación y desarrollo tienen que ajustarse a las necesidades de los servicios que se están prestando.

Este personal debe comprender claramente el trabajo. Igualmente se deben definir las cualidades que se requieren para la gente que hace los trabajos de contacto con los clientes.

Una idea reciente nos dice que los empleados del sector servicios deben dividirse de acuerdo con las demandas de comunicación que a ellos les imponen los clientes.

La naturaleza y tipo de comunicación puede ser un determinante de importancia para las cualidades buscadas en el empleado. Finalmente, es necesario prestar atención a la forma como se controlará y organizará el trabajo.

Los empleados de eventos en su papel de vincular la organización con los clientes, con frecuencia tienen que ser más flexibles y tener mayor capacidad de adaptación que otros. Puede ser difícil de poner en práctica sistemas metódicos, rígidos y cerrados y tal vez resulten apropiadas clases más flexibles de estructuras organizacionales y otros métodos operativos.

Marketing interno

Cumplir niveles de calidad y rendimiento del servicio en conformidad con las normas de las empresas de eventos significa que eso tiene que ver con "marketing interno" así como también con marketing externo.

No hay nada nuevo acerca del marketing interno. Va implícito en la idea original del concepto de marketing con su foco central en el papel clave del cliente y el objetivo central para una empresa basada en el mercado, la satisfacción de las necesidades del cliente.

Una definición de marketing interno sería: "Aplicar la filosofía y prácticas del marketing a la gente que presta el servicio a los clientes externos" de modo que:

1) se pueda emplear y retener la mejor gente;

2) ésta desempeñe su trabajo en la mejor forma posible.

Esta interpretación quiere decir que los empleados se consideran como clientes internos y los trabajos son productos internos que deben tener por objeto satisfacer mejor las necesidades de los clientes. Si la empresa ofrece a los empleados trabajos mejores y más satisfactorios, aumenta su capacidad de ser una empresa más efectiva.

"La empresa exitosa de servicios tiene que vender primero el producto a los empleados antes de vender sus servicios a los clientes."

Independientemente de la orientación que se tome, la importacia del marketing interno no se puede negar. Ya se practica en muchas empresas de servicios, y ha sido una práctica bien establecida aunque no universal dentro de las empresas de eventos.

El *marketing interno* es de importancia crucial puesto que el personal puede negarse a vender un servicio que no encuentre aceptable.

Uno de los problemas que afronta el personal de servicio en funciones operativas al tratar con los clientes, es que frecuentemente tiene que elegir entre el interés de la empresa de servicios y los intereses del cliente.

Con frecuencia al personal se le pide que tenga un conjunto de roles en conflicto puesto que "ellos son los prestadores también son el personal de venta".

La interfase empleado/cliente es entonces un área compleja porque un empleado en contacto con un cliente puede estar "dividido entre los objetivos de la empresa y los del cliente".

Hasta cierto punto una empresa de servicios puede reducir este conflicto de roles para sus empleados por medio de prácticas y procedimientos de marketing.

Una orientación entusiasta hacia el servicio de parte de una empresa, tiene efectos positivos tanto sobre los clientes como sobre sus empleados.

Métodos para obtener comportamiento uniforme

Otro de los problemas para la empresa de eventos consiste en lograr uniformidad de conducta en el personal. El comportamiento del consumidor afectará el resultado y la calidad del servicio prestado puede variar puesto que depende en gran parte del individuo que lo ofrece. Lograr uniformidad es una meta importante en especial en eventos.

Es fundamental que las empresas establezcan procedimientos fijos para algunos de los servicios con el fin de asegurar que se realicen de una forma homogénea.

Pero hay peligro de que estas prácticas puedan llegar a ser demasiado mecanizadas. Las organizaciones tienen que llegar a establecer un equilibrio entre un exceso de rigidez y la flexibilidad. Los procedimientos tienen que ser lo suficientemente flexibles para tolerar la ambigüedad de la variedad de clientes.

Los recursos humanos de una empresa de servicios se pueden utilizar como un medio importante de competencia y diferenciación. De esta manera, la capacitación permanente, especialmente en atención, comunicación y ventas, es, en general, una tarea prioritaria. Ciertamente la selección, capacitación y supervisión de nuestra gente es una parte fundamental de la función marketing.

Asegurar la apariencia uniforme. Si pensamos en la característica de la intangibilidad de numerosos servicios, la imagen del establecimiento y de su personal con frecuencia son los únicos aspectos tangibles de una empresa de servicios. En consecuencia, "se puede esperar que el consumidor escoja un proveedor de eventos cuyo sitio o salón y personal sugieran claramente la calidad del servicio deseado para la satisfacción de sus necesidades". Una forma en que las organizaciones intentan crear una imagen y sugerir calidad del evento es a través de la imagen del personal.

La apariencia del personal de contacto se puede controlar. Una manera de hacer esto es mediante el uso de "uniformes" y estilos de vestuario. El grado de formalidad puede ir desde el empleo de una chaqueta hasta un uniforme completo con accesorios.

Otra estandarización de la apariencia se puede cumplir contratando personal con características específicas, ya sea de estatura o edad. De igual manera, la empresa puede estimular el cuidado personal.

Aún cuando una empresa de eventos no requiera tener un uniforme formal con fines protectores o promocionales, es posible estimular deliberadamente un estilo de ropa "aceptable". Igualmente se pueden des-estimular estilos de ropa "inaceptables" o inadecuados que afecten la imagen corporativa.

Estos uniformes ayudan a crear, precisamente, niveles de "uniformidad" y por eso son un insumo importante para la imagen general de la organización. Cuando ésta no se requiera, las empresas pueden estimular estilos variados de ropa para cultivar una imagen no convencional, hasta transgresora.

Parece razonable la proposición de que al personal de contacto, se les debe dar consideración prioritaria al pensar en el marketing de servicios. La sensibilidad ante las necesidades del cliente sigue siendo esencial. Es vital para obtener la confianza y cooperación de los clientes realizar demostraciones para que conozcan las innovaciones de los servicios.

El principio más importante tiene que ser satisfacer las necesidades de los clientes.

Los clientes pueden tener ciertas ideas acerca de la realización del servicio y pueden identificar cierto personal del servicio como clave para éste. Sin embargo, puede haber algunos eventos en los cuales el personal sea una parte menor de la oferta. En estos casos, una aproximación más innovadora hacia la producción y el marketing, utilizando equipos y no gente para controlar la calidad de la producción y distribución, podría dar como resultado un nivel más alto de servicio. Pero hay ciertos eventos donde el contacto directo sigue siendo de gran importancia, los gastronómicos.

Las innovaciones tienen que limitarse siempre al nivel de aceptación del consumidor.

Control cuidadoso mediante supervisión del personal de servicio

Una empresa de servicios tiene que luchar constantemente por crear y mantener una imagen clara y atractiva.

En virtud de que tanto empleados como clientes influyen y reflejan la imagen de una empresa de eventos, es responsabilidad asegurar que la imagen percibida sea compatible con la imagen que se necesita. Al no haber características del servicio propiamente dichas, que permitan la suficiente distinción entre un servicio y otro, la clave para la formación de la imagen serán las actitudes y el comportamiento del personal.

La supervisión del personal es una manera de garantizar que se fijen y se cumplan los niveles. Es una revisión sin prejuicios, crítica y sistemática de los hábitos del personal. Básicamente la auditoria aspira a hacer un inventario del servicio total de la organización con la meta de apoyar las prácticas efectivas y corregir el comportamiento ineficiente.

Las empresas de eventos pueden utilizar una serie de métodos para supervisar el rendimiento y evaluar a su personal y al servicio en general.

Las prácticas varían de acuerdo con la clase de organización y el número de personas involucradas.

Algunas de las prácticas son:

- *Seguimiento de ventas* (incremento de ventas, participación en el mercado, rentabilidad, compra repetida).
- *Sistemas de quejas.*
- *Sistemas de sugerencias.*
- *Control por observación.*
- *Encuestas de satisfacción.*
- *Cliente misterioso* (alguien no conocido aparece como cliente en la empresa o llama por teléfono).

*"La evidencia física contribuye a formar
la personalidad de una organización"*

Evidencia física

Uno de los factores que está adquiriendo mayor importancia es el papel que desempeña la evidencia física. La evidencia física puede ayudar a crear el "ambiente" y la "atmósfera" en que se compra o realiza un servicio y puede ayudar a darles forma a las percepciones que los clientes tengan del servicio.

Los clientes se forman impresiones sobre una empresa de servicios, en parte, a través de evidencias físicas como edificios, accesorios, disposición, color y bienes asociados con el servicio: folletos, carpetas, merchandising.

Debido a prejuicios en el marketing de productos, los vendedores de servicios, con frecuencia, dejan de reconocer las formas exclusivas de evidencia física que normalmente pueden controlar y no ven que ellas deben formar parte de las responsabilidades del marketing.

En el marketing de servicios se debe realizar una distinción entre dos clases de evidencia física: la evidencia periférica y la evidencia esencial.

La evidencia periférica se posee realmente como parte de la compra de un servicio. Sin embargo, tiene poco o ningún valor independiente del servicio mismo; simplemente confirma el servicio, no es un sustituto de él.

La evidencia periférica "aumenta" el valor de la evidencia esencial sólo cuando el cliente le dé valor a estos símbolos del servicio.

Estas representaciones del servicio tienen que diseñarse y prepararse con las necesidades del cliente en mente. Con frecuencia son utilizados un conjunto importante de elementos complementarios para el servicio fundamental que buscan los clientes. Son ejemplos de evidencia periférica las entradas (ticket), planos de exposiciones.

La evidencia esencial, a diferencia de la evidencia periférica, no la puede poseer el cliente. No obstante, la evidencia esencial puede ser tan importante en su influencia sobre la compra del servicio que se puede considerar como un elemento por derecho propio. El aspecto general de una empresa, la sensación que da, etc., son ejemplos de evidencia esencial.

A la larga, la evidencia periférica y la evidencia física, en combinación con otros elementos que conforman la imagen, influyen en la opinión que el cliente se forme sobre el servicio. Cuando un consumidor intenta juzgar un evento, especialmente antes de utilizarlo o comprarlo, ese servicio se conoce por las pistas tangibles, la evidencia física que lo rodea.

La evidencia física y la evidencia esencial junto con el personal, los programas de promoción, de publicidad y relaciones públicas, son algunas de las principales formas como una empresa de servicios puede formalmente crear y mantener su imagen. Las imágenes son difíciles de definir, medir y controlar por el hecho de que la imagen es una estructura subjetiva y personal. Sin embargo, la gente se forma imágenes de los productos de servicio y de las empresas de servicios.

Por lo tanto, el manejo de esas evidencias es conveniente para asegurar que la imagen transmitida esté conforme con la imagen deseada.

Las empresas de eventos con servicios competitivos pueden utilizar evidencia física para diferenciar sus productos en el mercado y obtener *una ventaja competitiva.*

Los elementos tangibles e intangibles se pueden utilizar para aumentar la oferta esencial del producto. En realidad, las empresas que mercadean productos predominantemente tangibles, con frecuencia utilizan elementos abstractos e intangibles como parte de su estrategia de comunicaciones.

Las empresas de eventos o prestadoras también tratan de emplear elementos tangibles para aumentar el significado de sus productos intangibles.

Entonces, el manejo de la evidencia física debe ser una estrategia importante para una organización de eventos debido a la intangibilidad de un servicio.

Es decir, que estos no se pueden tocar, ni definir, ni captar mentalmente.

Los vendedores de servicios pueden vencer estas dificultades a través de:

a) Hacer más tangible el servicio

Es decir, desarrollar una representación palpable del servicio de tal forma que se pueda separar del vendedor, que se puedan utilizar intermediarios en la distribución de modo de expandir el área geográfica en la cual puede operar el vendedor del servicio y/o lograr una diferenciación del producto.

b) Hacer el servicio más fácil de captar mentalmente

La captación mental del servicio puede lograrse a través de dos formas:

1. Asociar el servicio con un objeto tangible que el cliente pueda percibir más fácilmente:

Aquí la naturaleza intangible del servicio se traduce a objetos tangibles que representen al servicio. Estos pueden tener más importancia y sentido para los clientes. Con este enfoque obviamente es vital utilizar objetos que el cliente considere importantes y que se busquen como parte del servicio.

Usar objetos que el cliente no valore puede resultar contraproducente.

2. Concentrarse en la relación comprador-consumidor:

Este método se concentra en la relación entre el comprador y el consumidor.

Se estimula al cliente a identificarse con una persona o grupo de personas en la empresa de servicios y no con los servicios intangibles propiamente.

La hipótesis que fundamenta estos métodos es que el cliente puede obtener algún beneficio de elementos tangibles presentados en los servicios intangibles ofrecidos. Sin embargo, antes que una empresa de servicios pueda traducir intangibles a algo más tangible debe conocer precisamente a su público objetivo y el efecto que se está buscando mediante el uso de esos dispositivos. Además, debe haber definido los puntos únicos de venta que se pueden incorporar al servicio y que satisfagan las necesidades del mercado objetivo.

Existe una variedad de elementos que las empresas pueden utilizar para hacer más tangible un servicio, desde el ambiente físico hasta accesorios, equipos, decoración general, color, iluminación, etc. Todo esto es parte del "ambiente".

El diseño y creación de un "ambiente" debe ser una acción deliberada que hay que planificar detalladamente. El "ambiente" se refiere al "contexto, físico y no físico, en que se realiza un evento y en que interactúan empresa y cliente. Por lo tanto incluye cualquier cosa que influya en la realización y comunicación del servicio".

La imagen que pueda formar una empresa de servicios se ve influida por una diversidad de factores. Todos los elementos de la mezcla de marketing, los servicios propiamente tales, las campañas publicitarias y promocionales, el precio y las actividades de relaciones públicas, contribuyen a las percepciones de los clientes, así como también la evidencia física.

De este modo, existen una serie de atributos importantes que determinarían la elección de una empresa en particular respecto de la formación de la imagen proyectada.

Estos factores son:

a) Atributos físicos: algunos aspectos de la arquitectura y diseño de una empresa de servicios tienen influencia en la formación de la imagen, y su presencia o ausencia también afectará en la percepción de otros atributos.

El *aspecto físico exterior* de una empresa de servicios puede influir en la imagen. La estructura física de un edificio, incluyendo su tamaño, su forma, el tipo de materiales usados en la construcción, y su atractivo comparativo en relación con edificios vecinos son factores que conforman las percepciones de los clientes.

Factores afines como la facilidad de estacionamiento y acceso, fachada, diseño de puertas y ventanas, etc., son también de importancia.

El *aspecto externo* puede transmitir entonces impresiones de solidez, sobriedad o modernidad, entre otras.

Internamente la disposición de la empresa, el arreglo de los equipos, escritorios, accesorios, iluminación, aire acondicionado y sistemas de calefacción, la calidad de la evidencia visual como cuadro y fotografías, etc., son factores que se combinan para crear impresiones e imagen.

La evidencia física contribuye a la personalidad de una organización, una personalidad que puede ser una característica clave de diferenciación en mercados de servicios altamente competitivos y no diferenciados.

b) Ambiente o clima: el ambiente de una empresa de servicios también influye en su imagen. El término "factores atmosféricos o clima" se ha utilizado para definir el diseño consciente de espacio que influye en los compradores. Naturalmente, la atmósfera o el ambiente de trabajo también tiene una influencia importante sobre los empleados y otras personas que se ponen en contacto con la organización. "Las condiciones de trabajo" en este sentido influyen en la forma como el personal de servicio puede tratar a los clientes.

Muchas empresas de servicios reconocen cada vez más la importancia de la atmósfera o clima, debido a que puede afectar en la percepción de los clientes; puede conocerse la empresa por su clima de trabajo, puede considerarse como cálida o efusiva, puede lograrse acogimiento, etc. Todo ello, por la atmósfera lograda.

El buen ambiente puede ser una herramienta competitiva especialmente adecuada cuando existe un gran número de competidores, o cuando las diferencias de los productos y/o precios son pequeñas, o si dichos productos están dirigidos a grupos de clase social distinta o estilo de vida diferente.

Estos temas que hemos tratado en este capítulo, al aplicarlos a eventos toman una característica muy especial, porque, si pensamos en los participantes a un congreso estos estarán en contacto directo con la secretaria, la oficina de informes, el personal de acreditación, el asistente de sala o el jefe, pero es muy raro que alguno de ellos se conecte con el organizador. Quien podrá solucionar un problema es, justamente, la recepcionista, el auxiliar, el edecán (como se denomina en algunos países); ellos son los seres humanos con quienes contamos, a quienes acudimos, por eso es tan importante la actitud, el compromiso, el conocimiento, la capacitación y la imagen.

En este tema debemos tener en cuenta aspectos tales como uniformes, vestimenta, el marco visual, además de reforzar una imagen institucional.

Algunas opciones para hacer tangible un evento, como siempre que vendemos algo a futuro, una ilusión o un compromiso, la creencia o promesa que ese evento lo beneficiara, pueden ser:

1) Ambientar un espacio como muestra de lo que será luego la totalidad;

2) Hacer un video simulado;

3) Mostrar videos de eventos realizados;

4) Tener un presse book, con las notas publicadas;

5) Mostrar Cd, casetes, power point, todo lo que la tecnología hoy nos permite;

6) Representar parte del evento.

De esta manera mostraremos al cliente lo que vendrá...

SÍNTESIS DEL CAPÍTULO 6

En este capítulo hemos hecho especial mención sobre lo que se denomina *plaza* que indica ya sea el lugar en el que se atiende al público, como la sede en donde se brindarán los servicios, los canales de comercialización y el alcance de la cobertura. Es decir, marcando y delimitando zonas, acercando el producto o servicio al usuario para que pueda acceder al mismo cuando y como él lo necesite.

Para captar un cliente podemos trabajar de distintas formas. Una sería la denominada venta propia o venta directa. Recordemos la inseparabilidad del servicio y del proveedor. En este caso podemos salir nosotros a buscar a nuestro cliente potencial o recibirlo en nuestra empresa. Dependerá del lugar geográfico donde estamos ubicados y adonde le resulte cómodo al cliente trasladarse.

Otra posibilidad es vender nuestros servicios mediante un intermediario, quien deberá conocer muy bien las características de lo que ofrece.

Por otro lado, generalmente, los artistas tienen su representante, por lo que se los contrata a través de esa persona.

Un punto importante que también contribuye a la venta son los recursos humanos de la empresa. Como hemos analizado ampliamente en este capítulo, la imagen de los servicios que brindamos está dada por el grupo humano que la integra. De allí la importancia de la capacitación, selección, supervisión y la valorización y reconocimiento por la tarea realizada. La vestimenta, la disposición, la preparación, la actitud conforman la cultura de nuestra organización, que luego se traslada al cliente. ¿Cuántas veces decimos qué bien servido estuvo este evento?

Y tenemos otro punto para destacar dentro de la temática que nos ocupa que es el entorno, la evidencia física. Hemos visto en este capítulo que en marketing de servicios hay dos evidencias físicas: la periférica y la esencial, y debemos ser conscientes del poder que tenemos en nuestras manos sabiendo aprovechar una ventaja competitiva.

Si entramos en la cocina de una empresa gastronómica y está desordenada, con mal aspecto, desde ya que podremos suponer que la comida no estará preparada con las normas de higiene y el cuidado necesarios. Por el contrario, todo cuidado, atención, esmero, hasta en el más mínimo detalle, nos estará marcando esa diferencia que hará que en el momento de la elección de un servicio seamos nosotros los preferidos.

PRECIO
(PRICE)

"Fije un precio muy alto y no obtendrá el negocio,
fije un precio bajo
y deseará no haber obtenido el negocio".

Antony Putman

¿Cuánto vale nuestro trabajo?

¿A cuánto puede venderse nuestro servicio?

¿Cuál es el mejor precio para nuestro producto?

Tal vez el término *"venderse"* puede llegar a resultarle un poco chocante; si no le es simpático léalo entonces como *ofrecerse* y seguramente le ha de resultar más aceptable.

¿A cuánto puede ofrecerse nuestro servicio?

Sin embargo, a esta altura de nuestro libro, es un buen momento para que comience a "internalizar" la palabra vender, a hacerla propia, y si usted trabaja por cuenta propia, es autoempleado, o dueño de su negocio, habrá dado un paso importante para ganar dinero ejerciendo su profesión.

Con seguridad usted ya se lo habrá preguntado antes, por eso sentirá que resulta difícil fijar el precio de los servicios relacionados a eventos si se los quiere vincular o comparar con el trabajo tradicional.

El precio es una variable fundamental en todo plan de marketing; en este sentido, suele adquirir diferentes valores que serán adoptados conforme a las distintas estrategia realizadas sobre el producto.

Lo importante a tener en cuenta con respecto al precio es que *siempre es perceptible en forma inmediata y resulta muy fácil de ser comunicado.*

Pudiendo la demanda ser sensible a las fluctuaciones del precio en más o en menos, es en estos casos que la denominamos *demanda elástica.*

El precio puede en este caso ser utilizado eficazmente para incrementar las ventas o la utilización de nuestro servicio.

Todos sabemos que cada individuo es un mundo, un ser único y especial. Con base en la experiencia podemos aceptar que existe comúnmente en la percepción del usuario o consumidor una relación estrecha y directa entre precio y valor, es decir que entendemos que en muchos caso para los individuos, precio y valor son entendidos como sinónimos. A estas personas, de quienes no somos muy diferentes en el comportamiento, su mente los lleva a pensar:

"Si es caro es bueno."

La investigación de esta actitud ha sido un elemento muchas veces utilizado en el mundo de la publicidad.

Aunque no podemos asegurar que la relación de percepción entre *precio/calidad* resulta siempre lineal, los estudios realizados al respecto así lo demuestran.

Los autores Pierre Eiglier y Eric Laugeard hacen mención a dos aspectos interesantes sobre la *relación precio/intangibles y servicio/gratuidad.*

Sostienen los autores en su libro *Servucción* que, dada la inmaterialidad de los servicios, el usuario se encuentra siempre con la dificultad de comprender por qué debe abonar determinado precio para tal servicio por lo que el consumidor juzgará el nivel de precios según determinadas referencias que surgirán de su experiencia personal, información o conocimiento sobre servicios similares. El consumidor, en efecto, actúa por analogía. Pero si no posee referencias y no logra encontrar razones que den justificación al precio solicitado, su pensamiento lo lleva a considerar al precio siempre como muy elevado.

Podríamos ampliar esta línea de razonamiento sosteniendo que en la compra de algunos servicios el cliente toma como parámetro el valor tiempo y lo compara con otro tiempo adquirido en otro servicio dando como resultado que en la mente de nuestro usuario se genera la sospecha de que el precio es excesivo.

Continuando en este mismo sentido llega en determinados casos a pensar que el servicio debería ser gratuito por que él no le encuentra justificación al precio.

Esto sucede por ejemplo en los clubes en los que un socio debe abonar adicionales por determinados servicios que él considera (es decir, da por sobreentendido) que deberían estar incluidos dentro de la cuota social.

PRECIO Y VALOR

También resultara interesante analizar si precio y valor son sinónimos.

Sostiene Monroe que la palabra *valor* adopta dos sentidos para los individuo uno si es tomado como valor de uso y otro si es adoptado como valor de cambio.

El valor de uso

Está referido al grado de utilidad o beneficio percibido por el usuario. El valor de uso queda claro según la urgencia u ocasión.

Ejemplo: está lloviendo y en la esquina una persona vende paraguas; la ocasión hace que el comprador los pague más caro. Igual sucede cuando uno desea alquilar un salón de fiestas para un sábado a la noche en momentos de alta demanda: los lugares prestigiosos tienen reservas con más de un año de anticipación.

El valor de cambio

Está en relación con el importe monetario real a ser abonado por el usuario, en comparación con el costo de obtener otros bienes.

Lo que sí sabemos en referencia a la relación precio/calidad es que si el cliente no tiene la posibilidad de utilizar el servicio antes de adquirirlo, el precio se convierte en un indicador de calidad. Repetimos: si el cliente no tiene la posibilidad de utilizar el servicio antes de adquirirlo, el precio se convierte en un indicador de calidad para el cliente.

La idea de calidad se verá influenciada por la existencia de experiencias previas por parte del cliente o transmitidas por referentes, el conocimiento que posea de la empresa proveedora y de los precios del mercado.

Por fin llegamos a la pregunta:

¿CÓMO DEBO FIJAR MIS PRECIOS?

Si queremos actuar adoptando criterios serios podemos decir que para la determinación del precio de un servicio, por lo general, se toman en consideración los siguientes aspectos:

- *El costo o los costos de producción del servicio*
- *Los costos anexos (cargas impositivas, por ejemplo)*
- *La utilidad deseada, la cual será sumada a los indicadores anteriores*
- *La economía del mercado, la cual estará determinada por la relación entre oferta y demanda*
- *El precio normal de la competencia*

Existe una relación directa entre el precio de un servicio o el de los productos y su consumo. Pero no siempre el precio bajo o alto es el más adecuado.

En este sentido, conforme a la respuesta al precio por parte de la DEMANDA (los clientes), decimos que ésta puede ser:

- elástica
- inelástica o estática
- uniforme o proporcional

DEMANDA ELÁSTICA

Se dice que para un servicio o determinado producto la demanda es elástica si se modifica sensiblemente ante los cambios de precios.

Cuando el precio se incrementa, se percibe el impacto manifestándose un rápido descenso de usuarios o una disminución del consumo por parte de ellos, mientras que, a la inversa, cuando el precio disminuye, rápidamente aumentan el consumo, la utilización o el número de compradores.

DEMANDA INELÁSTICA

La demanda es definida como estática cuando las modificaciones en el precio no provocan una merma notable en el uso o en el número de usuarios.

Descubrir esto es de suma importancia, ya que de resultar que nuestra oferta tiene una demanda elástica nos permitiría elevar gradualmente el precio obteniendo una mayor rentabilidad.

DEMANDA PROPORCIONAL o UNIFORME

Por último, la demanda puede resultar bastante proporcional o uniforme; lo sabemos cuando ante incrementos o disminuciones en el precio se corresponde una relación similar en porcentaje sobre la utilización de los servicios.

Con esto quiero decir que la relación demanda/precio guarda una relación porcentual directa.

El aumento de un 10 por ciento en la tarifa provoca una disminución en igual porcentaje en nuestra facturación.

Como hemos analizado, usted se dará cuenta que el conocimiento de estas características de la demanda resulta de suma utilidad a toda persona encargada de tomar alguna de las decisiones de marketing, ya que podrá adoptar diferentes estrategias para la fijación de precios, conforme a si la demanda de su servicio es elástica, estática o uniforme.

Sobre la base de establecer diferentes estrategias relacionadas directamente con el precio también nos encontraremos con la posibilidad de tener un precio diferente a lo largo del ciclo de vida de nuestro producto, así podremos fijar un precio de introducción al mercado, lanzamiento, y otro en la etapa de crecimiento, un precio de mantenimiento y uno diferente en el período de declinación de la demanda.

¿QUÉ ES EL PRECIO?

Se denomina precio al valor económico que se adjudica a un servicio o producto, lo cual implica el pago o desembolso que un individuo debe efectuar para obtenerlo.

El costo económico

Es la suma de todos los pagos en dinero que debe efectuar el cliente para obtener el servicio.

El valor de cambio

Es el valor percibido por el cliente y estará relacionado con la marca, o nombre del establecimiento o del profesional que brinde el servicio.

El precio es la relación con que un bien o servicio se cambia por otro.

El Valor de Uso

Es la forma y frecuencia con que el cliente utiliza el servicio, como así también el grado en que la oferta llena sus expectativas.

Debemos tener siempre en cuenta que el cliente opera sobre la base de la siguiente ecuación:

BENEFICIO ESPERADO - COSTOS = grado de SATISFACCIÓN

Relación precio y ciclo de los productos tangibles

Hemos mencionado anteriormente que todo producto tiene un ciclo de vida. En efecto, los productos nacen, se desarrollan, se mantienen y finalmente desaparecen.

Algunos perduran más que otros, pero es así como sucede; lo importante es estirar el ciclo de vida.

El precio tradicionalmente va acompañando este proceso.

Por lo general la incorporación al mercado de un nuevo producto o de un nuevo servicio se ve reflejada en el cuadro siguiente:

ETAPA	Introducción	Crecimiento	Madurez	Declive
PRECIO	Muy alto	Alto	Competitivo	De liquidación

El precio ha sido considerado, tradicionalmente, una variable de importancia en las decisiones del comprador; por tal razón, muchas empresas lo utilizan como el elemento para "competir".

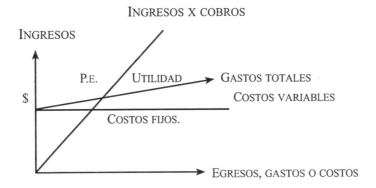

Gráfico de relación Ingresos/Egresos

P.e. constituye el punto de equilibrio o Break Point (autores europeos los denominan punto muerto). El punto de equilibrio indica que lo egresos se equiparan con los ingresos.

Una vez superado este tramo (p.e.) los ingresos se transforman en utilidades.

Para garantizarnos utilidades, deberemos tener en cuenta qué sucede con el punto de equilibrio cuando yo incremento mis servicios, ya que no siempre un aumento de servicios garantiza un incremento de rentabilidad.

En el gráfico anterior el ítem *gastos totales*, estaría integrado por los costos fijos más los costos variables. Estamos utilizando el término gasto como sinónimo de costo, entendiendo por *costos fijos* a todos aquellos gastos que no dependen del nivel de producción, mientras que consideraremos como *costos variables* a aquellos que se modifican conforme al nivel de producción.

Para evitar discusiones filosóficas debemos saber que en la realidad todos los costos son variables pero sólo los consideraremos como tales si resultan sumamente sensibles y cambiantes a medida que incrementamos nuestros servicios o producimos más productos.

El costo unitario del servicio o producto será igual a los gastos o costos totales divididos por el número *total* de servicios o unidades de productos *producidos.*

Podemos también determinar el costo medio cuando hay varios servicios o productos de distintos precios.

¿Podría definir ahora cuál es el precio adecuado de un producto o servicio?

Para poder responder, seguramente habrá pensado que la tarea no es fácil ya que cada persona tiene su propio criterio de evaluación.

Voy a ayudarlo, comenzaremos por considerar como precio adecuado a aquel que conforme a diferentes motivaciones sociales, culturales, etc. Las personas consideran como aceptable, es decir reconocen o creen que es el que determinado producto o servicio debería tener, y por ello está dispuesto a pagarlo.

ENTONCES, ¿CÓMO SE COMPONE EL PRECIO FINAL?

El precio de un servicio estará determinado por diferentes componentes:

- *Costo de producción*
- *Costos anexos*
- *Modificaciones económicas (ejemplo IVA)*
- *Margen de utilidad*

• *Costo de financiación (en caso de utilizarse pagos diferidos, tarjetas de créditos, cheques, etc.)*

Podemos definir modelos o estrategias diferentes para presentar nuestros precios a los clientes:

MODELOS PARA LA FIJACIÓN DE PRECIOS

• *GLOBAL*
• *INDEPENDIENTE*
• *MIXTO*

1. Precio global

Un precio único que incluiría la totalidad de los servicios que son brindados, sin el cobro de adicionales, que encuadraría en el MODELO: "All inclusive", "Menú ejecutivo".

2. Un precio selectivo o independiente

Cada uno de los servicios brindados tendrá un precio independiente de los otros: "menú a la carta".

3. Un precio mixto

En este caso, haremos una mezcla de los modelos anteriores: cobraremos un precio base para un número estipulado de servicios y adicionales para servicios opcionales.

Las decisiones sobre precio son de una importancia capital en la estrategia de marketing tanto para las de consumo como para las de servicios.

Los principios de fijación de precios y prácticas de los servicios tienden a basarse en principios y prácticas utilizadas en los precios de los bienes.

Como ocurre con los bienes, es difícil hacer generalizaciones sobre los precios. Hay tanta diversidad en el sector servicios como en el sector bienes.

Las características de los servicios que se mencionaron anteriormente pueden influir en la fijación de precios en los mercados de servicios. La influencia de estas características varía de acuerdo con el tipo de servicio y la situación del mercado que se esté considerando. Sin embargo, constituyen un factor adicional cuando se examinan las principales fuerzas tradicionales que influyen en los precios: costos, competencia y demanda.

a) El hecho de que los servicios no se pueden almacenar y de que las fluctuaciones de la demanda no se pueden atender tan fácilmente mediante el uso de inventarios, tiene consecuencia en los precios.

Se pueden utilizar ofertas especiales de precios y reducciones de precios para agotar capacidad disponible y los precios marginales pueden ser algo más común.

El uso constante de estas formas de precios puede conducir a que los compradores deliberadamente se demoren en comprar ciertos servicios con la expectativas de que se van a producir rebajas. Por su parte, los vendedores pueden tratar de compensar este efecto ofreciendo reducciones ventajosas sobre pedidos hechos con anticipación.

b) Los clientes pueden demorar o posponer la realización o uso de muchos servicios. Pueden, incluso, realizar los servicios personalmente. Estas características conducen a una competencia más fuerte entre los vendedores de servicio e, incluso, pueden estimular un mayor grado de estabilidad de precios en ciertos mercados, a corto plazo.

c) La intangibilidad tiene numerosas consecuencias para los precios. Los usuarios de primera vez pueden tener gran dificultad para entender lo que obtienen por su dinero, lo cual influye directamente sobre el riesgo percibido frente al servicio. Mientras más alto sea el contenido material, los precios fijados tenderán a basarse en los costos y mayor será la tendencia hacia precios más estandarizados.

Finalmente, es posible determinar los precios mediante negociación entre comprador y vendedor, ya que se puede ajustar el servicio a los requerimientos específicos del cliente.

d) Cuando los precios son homogéneos pueden ser altamente competitivos.

Mientras más exclusivo sea un servicio, mayor será la discrecionalidad de la empresa en la fijación del precio.

En tales circunstancias, es posible utilizar los precios como un indicador de calidad.

e) La inseparabilidad del servicio de la persona que lo ofrece puede fijar límites geográficos o de tiempo a los mercados que es posible atender.

El grado de competencia que opera dentro de estos límites influye en los precios cobrados.

Los servicios se pueden clasificar para efecto de precios según estén sujetos a regulación oficial (precio máximo de una entrada), sujetos a regulación formal (precio acordado entre competidores) o sujetos a regulación del mercado (libre oferta).

Las estrategias de marketing implican que los diferentes elementos de la mezcla de marketing (producto, precio, plaza, promoción) se formulen y ejecuten con los objetivos de esas estrategias muy claras en la mente del empresario.

Las decisiones sobre precios no son ninguna excepción a este principio.

Al fijar los objetivos de precios para servicios deben tenerse en cuenta varios factores.

Posicionamiento en el mercado

La posición del mercado significa el sitio que se pretende que ocupe el servicio y no ocupa ante los ojos del cliente y en comparación con los competidores.

Se refiere al ranking percibido del servicio en relación con los otros.

Claramente, el precio es un elemento importante de la mezcla que influye en esta categorización. Los productos tangibles pueden ocupar un espacio particular debido a sus características físicas; los servicios, por el contrario, se posicionan sobre la base de sus atributos intangibles.

En general, el precio influirá para reafirmar ese posicionamiento en el mercado.

Etapa del ciclo de vida del servicio

El precio del servicio también tiene relación con su ciclo de vida. De este modo, al introducir un servicio nuevo una organización podría optar por fijar precios bajos para penetrar mercados y lograr rápida participación en él.

Alternativamente, se podría optar por cobrar precios altos para ganar utilidades en el menor tiempo posible.

Elasticidad de la demanda

La discrecionalidad que tiene una organización para determinar sus objetivos de precios se ve afectada por la elasticidad de la demanda en el mercado. La elasticidad de la demanda en el mercado se refiere a su sensibilidad ante los cambios de precios.

Nítidamente, es vital que una organización de servicios determine qué tan elástica o inelástica es la demanda para sus servicios en respuesta a los cambios de precios.

La elasticidad puede exigir limitaciones a ciertas opciones de precios.

Situación competitiva: la fuerza de la competencia en el mercado influye en la fijación de los precios. Es así como en determinadas ocasiones en que existe poca diferenciación entre servicios y la competencia es intensa, la discrecionalidad de los precios se limita; es decir, se establecerá cierto grado de uniformidad de precios.

En otras oportunidades, la tradición y la costumbre pueden influir en los precios cobrados.

El rol estratégico del precio

Las políticas de precios tienen un papel estratégico con el fin de lograr los objetivos organizacionales. Así pues, la decisión sobre precios para un servicio particular debe ajustarse a objetivos estratégicos. Cualquier estrategia de precios debe ajustarse a la forma en que se manejen los demás elementos de la mezcla de marketing para alcanzar metas estratégicas.

De acuerdo a todos los factores que se deben considerar para la fijación de precios, y que fueron mencionados anteriormente, se pueden establecer dos métodos para la fijación de los precios de los servicios:

Precios basados en costos y precios orientados hacia el mercado

Política de precios

Precios competitivos

Se establecen aceptando la tasa actual de ventas con la intención de mantenerla o procurando aumentar la participación en el mercado mediante una agresiva política de precios.

Precios orientados al cliente

Precios establecidos en relación con las actitudes y comportamiento de los clientes.

La calidad y los costos se pueden variar para permanecer en armonía con los precios.

Cabe destacar que en los precios basados en los costos el problema más importante está dado en que en los negocios de servicios es difícil establecer qué indicadores tiene en una "unidad" de servicio y menos aún calcular su costo en pesos.

Una vez determinado el precio se pueden emplear lo que denominaremos *tácticas de precios*.

En este sentido la táctica particular a utilizar dependerá de la clase de servicio implícito, el mercado objetivo y las condiciones generales que en ese momento predominan en el mercado.

Algunas *tácticas de precios* frecuentemente utilizadas en mercados de servicios son:

Precios flexibles

Consiste en la práctica de cobrar precios diferentes de acuerdo con la forma de pagar de los clientes o su capacidad de negociación.

Estos precios resultan ser una de las prácticas más comunes en el sector de servicios de eventos conociéndose también como *"precio convenido"*.

Algunos problemas que suelen presentarse cuando las empresas utilizan los precios flexibles o diferenciales es que los clientes pueden demorar sus compras si tienen expectativas de obtener un mejor precio a futuro o cuando se genera en ellos la expectativa de obtener descuentos como una característica regular de una oferta de servicio.

Empresarios acostumbrados a promocionar sus productos en ferias y exposiciones saben que en determinadas ocasiones podrán negociar mejor el precio del stand si no se apuran en comprar, ya sea porque se encuentran en la etapa de introducción (son nuevas) o porque son muy específicas. En estos casos, los organizadores no logran vender todos los espacios destinados a stands. Por este motivo esperan hasta último momento para negociar un precio más favorable. Especulan con la urgencia y la falta de tiempo del otro.

Los organizadores se ven forzados a aceptar porque reconocen el principio de "perecedero" del servicio.

Si no venden ese espacio en esa ocasión, no tendrán otra oportunidad.

Debido a estos problemas algunas organizaciones de servicios prefieren emplear la práctica de *precios uniformes*, cobrando "siempre" el mismo precio a todos los clientes independientemente del tiempo, lugar o capacidad de pago cuando los servicios contratados son similares.

Precios de descuento o liquidación

Los precios de descuento se presentan en casi todos los mercados y tienen por finalidad constituir una recompensa por servicios realizados que permitan que haya producción y consumo del servicio, o también son utilizados como un instrumento promocional.

La mayoría de las organizaciones de servicios puede ofrecer reducciones especiales.

Lo que las empresas no llegan a comprender muy bien es que estos pagos erosionan los márgenes disponibles para el productor del servicio.

Sin embargo, tienen importancia estratégica en etapas de supervivencia o de mayor participación en el mercado.

Precios de distracción

Este modelo se presenta cuando se publica un precio básico generalmente bajo para un servicio o parte de un servicio, con el fin de fomentar una imagen de estructura de precios bajos. Sin embargo los adicionales u otros servicios mantienen un precio de mercado y la mayoría de las veces superior.

Suele utilizarse comúnmente en servicios de catering.

Precios garantizados

Estrategia basada en el éxito (fee de éxito). El cliente paga solamente si se garantizan ciertos resultados, como cantidad de asistentes, volumen de ventas, etc.

En tal caso el organizador profesional está asociado con su cliente a porcentaje sobre los resultados.

Suele utilizarse en eventos masivos como shows artísticos y ferias.

Precios de estatus

Esta práctica se utiliza cuando se ha logrado un buen posicionamiento y los consumidores asocian el precio de un servicio con la calidad y el prestigio del prestador.

Un claro ejemplo es el alquiler de salones en hoteles cinco estrellas.

Precios promocionales

Implica cobrar un precio reducido sólo por el primer contrato, con la esperanza de obtener otros negocios de un cliente a futuro.

La principal desventaja consiste en que un precio inicialmente bajo puede convertirse en un precio tope o techo. Los clientes pueden resistirse luego a pagar un precio mayor por igual servicio.

Alineación de precios

Esto ocurre cuando los precios del servicio no sufren variación económica pero la calidad, cantidad y nivel del servicio reflejan cambios.

Un problema con este método es que la diferenciación de calidad, cantidad y nivel de servicio tiene que ser difícil de ser detectada por los clientes. Indudablemente no es lo más aconsejable. Pero la creación de la cocina "gourmet", permitió reducir el tamaño de las porciones en los servicios de catering.

Para concluir es necesario reconocer que ninguna táctica es única o adecuada para todas las situaciones.

Cada decisión sobre precios debe tener en cuenta las circunstancias existentes: costo, demanda, competencia, el servicio y sus características y la situación en el mercado.

La fijación de precios para servicios, como ocurre también para bienes, sigue siendo, en gran parte, una combinación de buena gerencia, experiencia, ensayo y error, intuición y hasta un poco de buena suerte.

EL PRECIO FINANCIADO

Otro aspecto a tener en cuenta en la fijación del precio esta relacionado con la forma de financiación o sistema de cobranza.

Lo usual en el cobro de los servicios a los que hacemos referencia es que el usuario abone el servicio dentro de diferentes opciones: pago en efectivo, cheque o tarjeta.

En referencia a eventos sociales algunas empresas de catering, trabajan con un plan de pagos adelantado de cubiertos (lo cual congela el precio y evita al cliente incertidumbre por posibles aumentos).

En el caso que nuestra modalidad de cobro utilice, por considerarlo conveniente o un factor facilitador de la venta, el uso del cheque posdatado o el pago con tarjeta de crédito deberemos tener en cuenta los gastos resultantes de comisiones que serán efectuados por las entidades bancarias o, en períodos inflacionarios, la pérdida de valor de la moneda hasta el cobro efectivo del servicio, gastos que por financiación reducen la utilidad.

Como es razonable pensar, lo ideal es lograr desde un principio que el pago sea en efectivo y por adelantado.

Hay quienes para estimular el pago adelantado, o el cumplimiento a tiempo del pago adelantado otorgan algún tipo de beneficios a quienes abonan al contado.

EL PRECIO

Cuando la demanda es temporal

En la mayoría de los emprendimientos relacionados a eventos sociales o empresarios nos encontramos con que el flujo de utilización de los servicios se va modificando a lo largo del calendario anual presentando períodos que van desde una alta utilización a otros de baja utilización, períodos que deben ser el centro de nuestra atención.

Nuestra experiencia personal, el conocimiento del funcionamiento del mercado, o el primer año calendario de funcionamiento de nuestra propuesta comercial, nos permitirán realizar lo que denominaremos *flujograma*, que no es más ni menos que la representación gráfica de la utilización de nuestros servicios a lo largo de un período determinado de tiempo.

Para analizar el flujograma tomamos el promedio de utilización y observamos a la evolución del mismo, siguiendo la curva del gráfico que se moverá a lo largo del tiempo por debajo, a la par, o superando la línea media de utilización.

Es importante destacar que, dadas las múltiples ofertas posibles en los servicios del área que nos ocupa, los flujogramas deberán responder a cada una de ellas, por lo que usted deberá confeccionar el suyo según el tipo de servicio al cual se dedique, por lo general lo ideal es que el tiempo seleccionado resulte ser el año calendario.

El flujograma expresa la evolución de la curva de utilización la cual irá en ascenso o descenso reflejando los picos máximos de demanda y descendiendo en los momentos de baja o en los que la demanda es inexistente.

Tomando el ejemplo de los servicios turísticos, tenemos que comenzar a hablar de temporadas altas y bajas. Esto también se ve reflejado en el alquiler de salones para eventos, en la organización de congresos y seminarios, etc.

Tener un pleno conocimiento de la evolución cuantitativa de nuestro negocio con sus períodos de altas y bajas nos permitirán desarrollar estrategias tendientes a compensar los baches –esos períodos de baja– a través del manejo de diferentes variables, que detallaremos más adelante y que se relacionan con el precio, con la promoción, etc.

En este aspecto, es importante tener presente que disminuir el precio por cualquier concepto que se utilice deberá tener carácter de excepción, siendo una oferta limitada en tiempo y, de ser posible, restringida a un segmento.

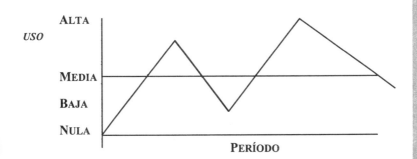

En el caso de espacios físicos, como los salones, el flujograma no sólo es estacional sino que es semanal, con máxima ocupación de jueves a domingos, y baja o nula de lunes a miércoles.

La demanda será un factor de importancia a tener en cuenta en todo desarrollo de servicios. Tal como expresáramos anteriormente, la demanda por lo general es fluctuante, sin embargo la demanda puede ser clasificada de la siguiente forma según el grado de interés por la oferta del servicio.

1. Demanda nula: no existe interés por el servicio.

2. Demanda positiva: existe interés por el servicio.

3. Demanda estacional: sufre variaciones conforme a la época del año.

4. Demanda latente: existen segmentos, "nichos", que aun no utilizan el servicio pero que si lo harán.

La demanda positiva, a su vez, la podemos clasificar en tres formas:

Equilibrada, decreciente o creciente.

• Demanda equilibrada: guarda una relación adecuada con la oferta en el mercado.

• Demanda decreciente o negativa: cuando comienza a disminuir, por desinterés o por sobreoferta de servicios.

• Demanda insatisfecha o excesiva: cuando la oferta no alcanza a satisfacer todos los servicios requeridos; ésta es la gran oportunidad.

Respondiendo las preguntas que se le presentan en el siguiente caso usted aplicará en forma práctica los conocimientos transmitidos en el transcurso de los capítulos leídos.

Caso Catering del Plata

Catering del Plata fue fundada por el señor "Gogo" Torres en 1970. Desde entonces es una empresa familiar que hoy aglutina a tres generaciones, sus tres hijos y dos de sus nietos.

Inicialmente se orientaba a eventos familiares en casas de familia; su radio de influencia era Parque Saavedra y Núñez. En 1980 compraron una ex fábrica de tortas y postres en Colegiales, lo cual les posibilitó lanzarse a un mercado más importante con los requisitos legales correspondientes y un fortalecimiento de la imagen corporativa.

Mientras que Gogo se dedicaba a la producción gastronómica, cada hijo tomó una responsabilidad diferente.

Juan, el mayor, se ocupa de la comercialización de eventos empresarios, para lo cual se relaciona y atiende a Organizadores de Eventos.

Magdalena, la hija menor, visita a dueños o gerentes de salones de fiestas para quienes tercerizan sus servicios. Mientras que el hermano del medio, Jorge, continúa vendiendo y organizando eventos familiares en casas.

Los nietos, por su parte, se ocupan de tareas administrativas y operativas.

Con el transcurso del tiempo fueron conociendo el mercado en profundidad y adecuando los precios al mismo.

Para un desayuno empresario, el precio base es de $ 300 hasta 20 personas y $ 7 por cada invitado extra. En general, los organizadores reciben el 10% de bonificación y/o contratan y revenden el servicio. Catering del Plata considera que tiene el precio más competitivo del mercado. Cuando el año pasado el precio era de $ 8 cerraban quince contratos mensuales.

Hoy a $ 7 están cerrando 19 por mes.

Si usted ha leído el contenido de este libro hasta este punto, se encuentra en condiciones de responder las siguientes preguntas en referencia al caso expuesto:

- ¿Cuáles son las unidades de negocio de Catering del Plata?
- ¿Qué criterios de segmentación puede determinar para cada unidad?
- ¿Cómo es la demanda conforme a la respuesta para desayunos empresarios?

Respecto de la estrategia de precio en la oferta de los desayunos de trabajo, ¿se utiliza una estrategia de precio global, precio individual, o precio mixto?

ESTUDIO DE CASO

La Casa de Grace

A finales del 80 el Instituto de Cultura Musical VIVAL-DI donde enseñaba Graciela notaba con preocupación que el número de alumnos disminuía significativamente, quizás era resultado de la hiperinflación, o la cuestión se centraba en un problema de motivación, tomar clases de piano, guitarra, flauta o acordeón había dejado de ser un atractivo para los niños. Lo cierto es que a ese ritmo de matriculación, en uno o dos años todo estaría terminado.

Fueron estas razones, o quizás lo avanzado de su edad, lo que decidió a su director y dueño de la casona cercana a Plaza Flores, a dar fin a las tareas del instituto y poner el inmueble en alquiler.

Graciela quedaba sin trabajo luego de quince años de docente. Comenzaba el año 90 y ella, casada, dos hijos y 35 años de edad, debía pensar qué hacer de su futuro. Por suerte en aquellas épocas su esposo contaba con un trabajo seguro y un buen sueldo en Gas del Estado.

En el suplemento educativo del domingo leyó con interés un aviso. Era un curso de organización de eventos infantiles.

Entusiasmada, se inscribió luego en el curso bianual para organizadores eventos.

Ese mismo día, mientras servía la cena le dijo a su marido:

– ¿Qué te parece si alquilo un salón y me dedico a organizar fiestas de cumpleaños..? Sin esperar su respuesta, (total él nunca despegaba su vista del televisor) continuó…

–Ya hablé con los dueños del Vivaldi, me alquilarían la casona y sin pedir adelanto, sólo con la garantía de nuestra vivienda es suficiente. ¿Qué te parece? Vos sabes que soy bastante conocida en el barrio, además hay dos escuelas privadas y dos oficiales a menos de tres cuadras a la redonda.

Claudio, su esposo, tomó un sorbo de vino sin disimular su sorpresa, lo chicos festejaban la idea.

–Y... habría que pensarlo –respondió–, no son tiempos para gastar. Si esperamos, cuando todo ande mejor lo hacemos.

Graciela no escuchó las últimas palabras porque ella ya lo tenía decidido: el Vivaldi se transformaría en un salón para alquiler y organización de fiestas sociales.

En junio del 90 nacía "La Casa de Grace", no hubo que hacer importantes arreglos, había baños para niñas y varones, la cocina era amplia al igual que los ambientes, solo se compró una heladera grande, mesas, sillas y vajilla.

Diseñaron un gran cartel para el frente y se hicieron muchos volantes para repartir a la salida de las escuelas, por las casas y por los edificios, todo en un radio de diez cuadras a la redonda.

Graciela había buscado datos del Indec, por ellos supo que habitan en la zona 136 personas por manzana, es decir 13.600 personas en su radio de influencia lo cual, según estimó, daría una base aproximada de 3000 chicos; luego, conversando con las madres a la salida de las escuelas y con los comentarios de los compañeritos de sus hijos, descubrió que un 50% aproximadamente festejaba sus cumpleaños en salones de la zona, jardines de infantes o en un reciente local de una cadena norteamericana de hamburguesas.

La Casa de Grace, tuvo, por suerte, muy buena aceptación en forma inmediata. Un cumpleaños para veinticinco chicos con animación y comida costaba $ 10 por chico.

Por otra parte, el alquiler del salón para fiestas, o reuniones se cobraba $ 150.

La facturación mensual rondaba los $ 5000, con lo cual, deducidos los gastos, dejaba una ganancia neta mensual de $ 2000.

Para los cumpleaños se ofrecía una ambientación especial, se podía hacer la fiesta en la Selva, en la corte del Rey Arturo, o en el Futuro, cada chico recibía un disfraz acorde y la animación seguía ese estilo, los más chiquitos tenían juegos, títeres, y un clown.

Como adicional se podía contratar un show de magia.

En el año 93, Claudio fue despedido y se sumó a la empresa de su esposa.

Con la indemnización decidieron instalar en una de las habitaciones de la casona un minishop: de Alquiler de Disfraces, venta de cotillón y vajilla descartable.

En el 95 ampliaron la cocina y comenzaron a fabricar tortas, saladitos y productos para lunch.

Se pensó en ofrecer el servicio y la animación en casas pero esto se desestimó porque les demandaría mucho esfuerzo y restaría clientela de alquiler y de animaciones al salón.

A partir del 98, las fiestas comenzaron a disminuir, la gente era muy sensible a los precios y había más competencia.

Por otra parte, otras casas de fiestas ofrecían juegos electrónicos (flipers) y eso atraía mucho a los chicos más grandes.

En el 2001 la situación no se presentaba mejor, por eso decidieron ofrecer un nuevo servicio: desayunos a domicilio, ya que eran sumamente rentables y se estaban poniendo de moda.

Pasada la crisis del 2002, el negocio es floreciente.

A modo de práctica y para integrar todos los conocimientos incluidos en este texto le invitamos a responder las siguientes diez preguntas:

1. Defina la misión de la empresa.
2. Nombre todas las unidades de negocios existentes en la actualidad.
3. Qué criterios de segmentación se utilizó para cada unidad de negocio.
4. Determine cuál es el número de niños del mercado penetrado en la zona.
5. Nombre qué fuerzas del micro y macroambiente fueron y están afectando a la empresa.
6. Diferencie cuál era el producto básico y cuál el real ofrecido por la Casa de Grace en el 90.
7. Desde 1989 inclusive, en qué etapa del ciclo de vida se encuentra cada unidad de negocio mencionada en el texto.
8. ¿Graciela utilizó alguna forma de investigación de mercados?
9. ¿Cómo era la demanda en el 98?
10. Según surge del texto, ¿cuál es la estrategia de precios utilizada?

Síntesis del Capítulo 7

Hemos llegado a otro punto álgido: el de fijar los precios. Ya sabemos de qué se trata, cómo se debe fijar un valor económico, qué estrategias podremos elaborar para llegar al precio exacto.

¿Recuerda la frase de Antony Putman del inicio de este capítulo?

La reiteramos: "Fije un precio muy alto y no obtendrá el negocio, fije un precio bajo y deseará no haberlo obtenido". ¡Cuánta experiencia de vida encierra esta frase!

Porque usted tal vez fijó el precio justo, el exacto, el que surgió de todos los análisis y estudios realizados, pero, ¿habrá quien lo pague? Ésta es la gran incógnita.

Sabemos ya que hay varios modelos para la presentación de los precios, el global, el selectivo o independiente y el mixto. Habrá que analizar en cada circunstancia cuál es el más conveniente.

Es muy importante reconocer que cuanto más exclusivo y selecto sea un servicio el valor que se fije pasará por otras variables, como son el poder, el estatus, el estar a la moda, el pertenecer. De allí la importancia de ser excelentes, diferentes, creativos, saber posicionarse, complementar las estrategias de marketing personal, el tener una visión y una meta de cómo quiere que sea su empresa y a qué target desea llegar.

Por lo tanto, para establecer una política de precios, tenga muy en cuenta las diferenciaciones citadas en este capítulo.

PROMOCIÓN
Y COMUNICACIÓN

En la promoción de los servicios utilizamos tradicionalmente cuatro formas:

a) *Publicidad*: definida como cualquier forma de comunicación no personal implementada a través de diferentes medios de comunicación, masivos o selectivos (impresos, avisos gráficos, tandas televisivas o radiales, vía pública etc.).

b) *Venta personal*: definida como la presentación personal de los servicios a futuros compradores con el propósito de concretar ventas (entrevistas, ferias y exposiciones, lanzamientos de productos, etc.).

c) *Relaciones públicas*: desarrollo de diferentes actividades que generen una imagen favorable de la empresa en los clientes actuales y potenciales.

Procura generar influencia en la opinión pública. Cuando el índice de simpatía de una empresa "tiende a cero", la actividad de toda la empresa está automáticamente en peligro, aun cuando sus ventas sean elevadas. Para conseguir un "índice de simpatía" que dé prestigio y popularidad ante la opinión pública es necesaria una política de relaciones públicas.

¿Qué entendemos por relaciones públicas en el entorno de la empresa?

"Por relaciones públicas hay que entender la política sistemática de un individuo o de una organización pública o privada y su puesta en marcha para mejorar sus relaciones con sus diferentes públicos, para hacer una mejor comprensión de su actividad y suscitar alrededor de ella un espíritu de confianza y de simpatía".

Si analizamos en profundidad esta definición, veremos que nos encontramos con los siguientes elementos:

- Existe un individuo o una organización que cumple la función de emisor.
- Debe existir una política permanente y sistemática, cuya definición es siempre una función de la dirección.
- Entre el individuo o la organización y el público existirá siempre una relación de dependencia recíproca o de interés común.
- Hay que crear un clima de simpatía y comprensión (relaciones de confianza).
- Deben ponerse en marcha acciones como resultado de la información obtenida de los fenómenos de opinión.
- Y, por último, un control de resultados y medidas correctivas.

Todo ello nos lleva a la conclusión de que hacer relaciones públicas es conseguir relaciones de confianza para con la empresa.

No se debe caer en el error de confundir las relaciones públicas con la publicidad, aun cuando ciertamente ambas cosas mantienen una vida muy relacionada con actividades y procedimientos estrechamente conectados. Sin embargo, existe entre publicidad y relaciones públicas una notable diferencia de fondo y forma, que ya desde la perspectiva de sus objetivos esclarece la confusión que se puede generar.

La publicidad debe, fundamentalmente, vender producto o servicio. Es decir, su objetivo es claro y rotundamente comercial.

d) *Promoción de ventas*: actividades de marketing distintas de la publicidad, venta personal y relaciones públicas que estimulan las compras de los clientes o refuerzan la fidelidad (promociones asociadas al precio, obsequios promocionales, etc.).

Los propósitos generales de la promoción en el marketing de eventos tienden a crear conciencia e interés la oferta y en la organización del servicio, para diferenciar la oferta del servicio de la competencia, para comunicar y representar los beneficios de los productos disponibles, y/o persuadir a los clientes para que compren, contraten o utilicen nuestro servicio.

En general, el propósito de cualquier esfuerzo promocional es vender el evento a través de información, persuasión y recuerdo.

Los principios de la promoción son los mismos para bienes y para servicios. Sin embargo, algunas diferencias se deben principalmente a aspectos, como:

EL POSICIONAMIENTO

El posicionar correctamente un servicio en el mercado consiste en hacerlo más deseable, compatible, aceptable y relevante para el *segmento meta*, diferenciándolo del ofrecido por la competencia; es decir, ofrecer un servicio que sea efectivamente percibido como "único" por los clientes.

Un servicio, al estar bien posicionado, hace que el segmento lo identifique perfectamente con una serie de deseos y necesidades en su propia escala de valores, haciendo que el grado de lealtad del mismo sea mayor y más fuerte respecto de los ofrecidos por los competidores.

El posicionamiento y la percepción

El posicionamiento se basa en la percepción, y la percepción es la verdad dentro del individuo. La percepción es el "significado que en base a las experiencias, atribuimos a los estímulos que nos entran por los sentidos". Las percepciones pueden ser tanto subjetivas (que dependen de los instintos particulares del "ello" del individuo) como selectivas (que dependen de sus experiencias, intereses y actitudes) y están directamente relacionadas con tres tipos de influencias:

- Las características físicas de los estímulos
- La interrelación del estímulo con su entorno
- Las condiciones internas particulares del individuo

Vale la pena mencionar en este punto que, según estudios que se han realizado, el ser humano es sensible a los estímulos a través de los sentidos con el siguiente porcentaje de influencia: vista 55%, oído 18%, olfato 12%, tacto 10% y gusto 5%.

En el posicionamiento se suelen distinguir las siguientes etapas:

Posicionamiento actual (identificación)

Consiste en determinar el lugar en el que actualmente se encuentra el servicio de acuerdo a las preferencias o gustos de los consumidores, en comparación con los de la competencia.

Para realizar este análisis es importante determinar variables relacionadas con el servicio mismo, variables atribuibles a la empresa y, finalmente, variables atribuibles al medio ambiente, que reciben el nombre de atributos, debiéndose también determinar aquellos que son relevantes para el segmento meta. Posteriormente se seleccionan los competidores más directos y con esta información como base, se debe efectuar un estudio a la muestra de interés, de manera de obtener una clara visión de cómo es percibido y cómo está posicionado el servicio en la menta de los clientes y en relación a la competencia.

Posicionamiento ideal

Esta etapa puede enfocarse desde dos puntos de vista:

• *Posicionamiento ideal del consumidor:* consiste en determinar qué es lo que el consumidor desea respecto de la clase de servicio que se ofrece.

• *Posicionamiento ideal de la empresa:* consiste en determinar qué es lo que la empresa quiere lograr y transmitir como un servicio ideal.

LOS PROCESOS DE COMPRA

Las diferencias entre bienes y servicios son más notables en el proceso de compra.

Algunas compras de servicios se consideran como más arriesgadas, en parte porque puede ser más difícil para los compradores evaluar calidad y valor. De igual manera, los consumidores tienen más probabilidades de recibir influencia de otros. Esta función más predominante de la influencia personal en el proceso de compra tiene consecuencias para el marketing de servicios, especialmente para desarrollar una relación profesional entre los proveedores de servicios y sus consumidores y la necesidad de programas promocionales para generar una comunicación verbal, cara a cara.

Las diferencias entre bienes y servicios pueden tener algunas consecuencias para el programa promocional de la organización, por lo que se hace necesario cumplir con algunos principios en cada elemento de la promoción para, de este modo, lograr un impacto más efectivo.

Estos principios son:

1. *Utilizar mensajes claros y sin ambigüedades*
2. *Destacar los beneficios*
3. *Prometer sólo lo que se puede dar*
4. *Dar pistas tangibles (impresos, videos, etc.)*
5. *Dar continuidad a la publicidad*

La publicidad de los servicios debe cumplir con cinco funciones para lograr su eficiencia:

Posicionamiento: crear el mundo de la empresa en la mente del consumidor.

Identidad: construir una personalidad adecuada para la empresa.

Imagen: identificar la compañía con el cliente.

Marketing interno: influir en el personal.

Ariete: ayudar a abrir puertas a los representantes de ventas.

La venta personal

Todo integrante de una organización es un vendedor potencial de su empresa. Sin embargo, hay quienes específicamente tienen este rol, su tarea deberá ser:

- Hacer relaciones personales con los clientes
- Poseer una actitud profesional
- Crear y mantener una imagen favorable
- Facilitar la compra al cliente

Siete pautas para la venta personal de servicios

1. Generar un clima favorable y distendido.
2. Facilitar la evaluación de la calidad.
3. Hacer tangible el servicio.
4. Destacar la imagen organizacional.
5. Utilizar referencias externas a la organización.
6. Dar participación del cliente durante el proceso de diseño del servicio para generar especificaciones del cliente haciendo preguntas, brindándole ejemplos.
7. Asegurar la firma del contrato.

PROMOCIÓN DE VENTAS

El aumento de la actividad de promoción de ventas en muchos mercados de servicios, en los últimos diez o quince años, ha sido uno de los cambios principales que ha tenido lugar en marketing.

Finalmente, la promoción de ventas es un elemento de la combinación de promoción en una organización de servicios.

Los programas promocionales más efectivos son aquellos que se ajustan a toda la estrategia promocional y se consideran, a su vez, como un elemento en la estrategia general de marketing.

EL TELEMARKETING

El telemarketing es un sistema de comunicación comercial interactiva a distancia, realizado por medio de la utilización integrada de tecnologías telefónicas e informáticas, en combinación con otros instrumentos del marketing.

La clave para desarrollar una adecuada campaña de telemarketing, radica en el armado de una base de datos actualizada, la elaboración de un guión de venta telefónica, la capacitación de los telemarketers.

Diferentes acciones promocionales que se pueden realizar

Presentaciones

Están formados por informaciones detalladas de los productos que tiene la empresa. Últimamente, se se recurre a los CD interactivos o videos. También son de utilidad los folletos, catálogos o el armado de un dossier.

Concursos y juegos

Son aquellos medios de promoción que requieren una participación activa o pasiva del consumidor.

El esfuerzo exigido al participante repercute directamente en el conocimiento del servicio.

Los concursos son acciones promocionales de complicado manejo y su efectividad está directamente relacionada con una minuciosa preparación previa.

Sorteos

Este tipo de actividades posibilita la participación y la utilización de determinado servicios, también para obtener bonificaciones en el caso de utilizarlos.

Degustaciones

Estas acciones son un buen complemento de las anteriores para conseguir que el cliente potencial pueda hacer una evaluación de forma palpable sobre las características o atributos diferenciales del producto.

Marketing directo

Se denomina publicidad directa a un conjunto de medios que permiten distribuir una información a través de un método más selectivo que el utilizado normalmente en publicidad (dirección personalizada, puerta a puerta, en mano, etc.).

Merchandising

El empleo del merchandising como acción promocional es de una máxima eficacia. Entendemos por merchandising todas las acciones que se pueden realizar en los puntos de venta, o de contacto efectivo con el cliente al cual se le obsequian productos publicitarios que a su vez son conservados como recuerdo o bien para el uso del cliente.

Internet

Internet constituye hoy en día una herramienta fundamental en la comunicación entre empresas. Similar al marketing directo, hoy estamos en el marketing electrónico, veloz, eficiente, y sumamente económico; resulta de suma importancia el manejo del correo electrónico, publicaciones electrónicas y el poseer una página web dinámica, liviana y actualizada.

LA TOMA DE DECISIÓN DE COMPRA

En toda venta el punto critico está en definitiva en la decisión positiva del cliente.

Por lo tanto, veremos qué sucede en la mente del individuo cuando debe resolver por el sí o por el no.

Esquemáticamente, podemos decir que existirían tres etapas que deben cumplirse en la toma de una decisión de compra. Éstas son: la validación, la valoración y la valorización.

VALIDACIÓN: en este momento nuestro potencial cliente se pregunta, ¿es esto lo que necesito, es lo que busco, es lo que me hace falta, es lo que quiero? Este síntoma determina que ya tiene el interés, que reconoce la necesidad y debe convalidarlo, es decir, dar validez al deseo.

Por ejemplo, la madre piensa: "la nena cumple quince años, se merece esta fiesta".

Si la respuesta es positiva, pasará a la etapa de valorización.

VALORACIÓN: dado que las necesidades son infinitas –al igual que los deseos– y que no todos los deseos pueden ser satisfechos en forma simultanea, en esta etapa nuestro individuo se pregunta: ¿qué lugar ocupa este deseo entre todos mis otros deseos, cuán importante para mí es satisfacerlo ya? ¿Qué prioridad tiene?

Volviendo al ejemplo anterior, la madre sigue reflexionando, sobre la fiesta de su hija, y se responde: "es un momento único, podemos posponer otras cosas, pero la fiesta debe hacerse este año".

Nuestro potencial cliente está posicionando el deseo de adquirir el servicio o el producto en su propia escala de prioridades o importancia y le da un lugar entre otros deseos a satisfacer.

Si le da el primer puesto, es decir que le da prioridad, en ese instante y simultáneamente alcanza el próximo paso, la tercer etapa, la valorización: concretará la compra, firmará el contrato.

VALORIZACIÓN: hemos ingresado en esta etapa en el último tramo hacia la meta.

¿Qué está pensando nuestro potencial cliente en este momento?

¿Se justifica el precio que debo pagar?

¿Lo puedo pagar?

¿Que grado de esfuerzo me demanda?

En conclusión, si lo puede pagar y el precio y el esfuerzo le resultan razonables, el nivel de interés y deseo ganarán esta pulseada interna y se hará efectiva la compra.

Para finalizar y a modo de síntesis, tenga presente los siguientes pasos que lo conducirán a obtener excelentes resultados en su gestión:

Resulta muy corriente que nos consulten respecto de la mejor forma de conseguir clientes; es indudable que no existe una "mejor forma" ya que la misma debe adecuarse a las características de nuestro producto y al perfil de nuestro cliente.

Lo que sí es seguro es que no existe el marketing sin publicidad, y que es difícil conseguir clientes si no se hace una buena inversión en un plan de comunicaciones.

Por suerte hoy Internet nos ofrece una forma rápida y sencilla de comunicar, a través de la red podremos llegar a contactarnos permanentemente y en forma notablemente económica con clientes reales, a los que mantendremos informados de nuevas propuestas, y de clientes potenciales (prospectos), a los que informaremos sobre las características de nuestra empresa y sus respectivos productos o servicios.

Hay varias estrategias para aprovechar al máximo Internet.

Una de ellas es armar una base de datos de direcciones de correos electrónicos y enviarles una propuesta atractiva.

Lo más importante en estrategia es el hecho de hacer una excelente carga de los datos, ya que un espacio o una letra equivocada harán que nuestros envíos no lleguen a destino y como segundo punto, resulta imprescindible el mantenimiento de estos datos, ya que la gente suele cambiar continuamente sus direcciones de e-mail.

La siguiente estrategia consiste en disponer de una página web, la cual debe ser atractiva y sumamente ágil, no estar abarrotada de información, ni ser pesada, es decir, bajar a la computadora de nuestro consultante en forma rápida; caso contrario, de ser lenta, el potencial cliente desertará de su búsqueda, parecería ser que hay una ley inversamente proporcional entre tecnología y paciencia. Por eso, si no dispone de los conocimientos suficientes en el campo de la informática recurra a un programador solicitándole que tome en cuenta las características mencionadas: atractivo y velocidad.

Si disponemos de una página web, podemos utilizar la sinergia de nuestros e-mails invitando a sus receptores a conectarse y visitar nuestra página web.

Otra forma de lograr visitantes a nuestra página es incluirla en todas las promociones, folletos, afiches, publicidades o en los denominados Banner, son una forma de publicidad que se contrata para aparecer con un cuadrito en la página de buscadores o en otras páginas web; los interesados harán un clic sobre el cuadrito publicitario y automáticamente ingresarán.

Es interesante incorporar a nuestra página un contador de ingresos, y también un breve formulario para que aquellos que nos visitan puedan acreditarse dejando sus datos personales y su dirección de e-mail.

Respecto a qué se debería colocar en un envío por correo electrónico, creemos que pueden ser aplicados los mismos criterios utilizados para cualquier comunicación gráfica.

Transmitir información implica satisfacer cuatro interrogantes básicos:

• Qué, quién, cuándo y dónde

¿Qué?: es lo que se ofrece, se brinda o a qué se invita.

¿Quién?: es el responsable de organizarlo.
Quienes más avalan esta propuesta.

¿Cuándo?: en qué fecha se desarrollará el evento.

¿Dónde?: se llevará a cabo el encuentro.

Siguiendo esta sencilla fórmula estaremos seguros que nuestra información satisface las necesidad de nuestros clientes.

Acompañaremos el texto de un aviso publicitario según nuestro esquema aplicado a dos ejemplos posibles de eventos, en esta ocasión un seminario y una feria o exposición.

PRIMER SEMINARIO DE MARKETING DEPORTIVO

O por segundo ejemplo

4ta. FERIA NACIONAL DE LA MODA
ARGENTEX

Organizada por: ***** con el auspicio de ****

Del 1° al 15 de Julio   Horario: 10 a 22 hs.

CENTRO COSTA SALGUERO
Salguero y Costanera

Teléfono – e-mail – www.
Ingreso: Libre y Gratuito –
. Acreditación Previa
Arancelado
Servicios o medios de transporte que lo acercan.

Luego de haber explicitado el qué, quién, cuándo y dónde, no debemos olvidar de incluir información de utilidad al usuario, forma de contactarse con el organizador, de obtener mayor es datos, como si debe abonarse el ingreso, qué medios de locomoción llegan al lugar, si existe un servicio de transporte gratuito desde algún punto de la ciudad, etc.

Síntesis del capítulo 8

Estimado lector, llegamos casi al final de este libro y hemos desarrollado la forma de difundir nuestros servicios, a través de la promoción y la comunicación.

Algo hemos hablado en capítulos anteriores, y para complementar el tema en la promoción de servicios utilizamos cuatro formas: la publicidad, la venta personal o venta directa, las Relaciones Públicas. Como ya vimos, no debe confundirse publicidad con promoción. Sobre todos estos temas hemos procurado dar ejemplos que lo ayudarán a visualizar y comprender la importancia de estas estrategias. Podran emplearse en forma conjunta, independiente, en paralelo, todas son válidas y cada una nos dará una respuesta diferente.

Será fundamental hacer un estudio con sus estadísticas para saber cuál o cuáles nos dieron mayor resultado para insistir sobre esa estrategia.

Otro tema es el del posicionamiento, la percepción y la influencia de los sentidos. En este caso, debemos centrarnos en el posicionamiento actual y el ideal, de la mente del consumidor y el de la empresa.

Teniendo esto en claro podremos fijar metas y objetivos con sus correspondientes plazos y análisis de viabilidad.

Y un último tema que cierra todo lo visto es el proceso de compra, la toma de decisión para lo cual habremos empleado todos estos conocimientos, que nos llevarán al cierre de ventas, es decir, a la concreción de nuestro objetivo.

CÓMO SER
EXITOSO

DIEZ PASOS
PARA LOGRAR SU ÉXITO

Si usted va respondiendo cada uno de los *diez puntos* establecidos tendrá la base de un plan para desarrollar su negocio de eventos.

1. MISIÓN

Establecer la misión de la empresa consiste en determinar qué espera de su empresa, cuáles serán sus valores y creencias que la sostendrán a lo largo del tiempo, qué beneficios brindará a sus clientes.

2. OBJETIVOS

Debe proponer los logros que desea obtener en el mediano y largo plazo.

Los *logros* son de carácter *cuantitativo y cualitativo*, tales como crecimiento económico, de prestigio, etc.

3. ANÁLISIS FODA

Es un estudio en profundidad de todo nuestro potencial empresario: recursos humanos, económicos y de estructura.

Por una parte debemos analizar las *fortalezas* y *debilidades* de nuestra empresa; por otra parte analizamos qué está ocurriendo en el mundo externo a nuestra empresa, las *amenazas* y *oportunidades* que presenta el ambiente exterior.

4. ESTRATEGIA

Propondremos los distintos caminos para el logro de los objetivos, sobre la base de nuestras fortalezas y las oportunidades del mercado, tratando de superar las debilidades y neutralizar las amenazas.

5. UNIDAD DE NEGOCIO

Determinaremos cuales serán las unidades de negocio de nuestra empresa.

De todas las ofertas de servicio consideraremos que son una unidad de negocio aquellas que puedan se manejadas en forma independiente una de las otras, lo cual implica un presupuesto y un plan de comercialización diferenciado.

Por ejemplo un Salón de Fiestas, puede tener como unidades de negocio:

1 Alquiler de Salón; 2 Servicio de Catering.

6. ANALIZAR EL MERCADO

- Establecer cuál es el *mercado potencial*

Es decir, la demanda posible para cada unidad de negocio.

- Cuál es el *mercado atendido*

La porción del mercado total que es usuaria de los servicios de eventos.

- Cuál es el *mercado posible* de atacar

Observaremos, quiénes son aquellos potenciales clientes que no realizan eventos.

(Por ejemplo, empresas textiles que nunca organizaron desfiles, o no han realizado presentaciones de sus productos, etc.).

7. SEGMENTACIÓN DEL MERCADO

Hay cuatro formas de agrupar a nuestros clientes potenciales, debemos determinar cuáles son las más convenientes a utilizar para nuestros servicios.

GEOGRÁFICA	DEMOGRÁFICA	PSICOGRÁFICA	CONDUCTA
ZONAS	EDAD-OCUPACIÓN	PERSONALIDAD	BENEFICIO- USO

La segmentación de potenciales clientes debe ser criteriosa:

1. Mensurable: medible
2. Accesible: alcanzable
3. Sustancial: amplia y homogénea
4. Razonable: posible

8. POSICIONAMIENTO

Determinar cómo deseamos que el cliente nos perciba en su mente.

El posicionamiento se logra con mucha comunicación sobre la base de cuatro dimensiones:

- Atributos del servicio: características, nivel de calidad, personal, lugar de prestación.
- Beneficios: nivel de satisfacción que recibe el cliente, estatus, rédito económico, trascendencia.
- Comparación: cómo somos percibidos en relación con nuestra competencia o a ofertas sustitutas.
- Imagen: poseer identidad, desarrollar una oferta diferenciada y fácil de comunicar, manejar valores simbólicos.

9. DESARROLLO PRÁCTICO

- Describa su mercado meta, quiénes son o serán sus clientes.
- Qué beneficios desean.
- Desarrolle una propuesta de servicio conforme a sus necesidades.
- Piense siempre cómo hará para posicionar su empresa o el servicio.
- Fije los objetivos de ventas y de utilidades posibles.
- Determine cómo será la estrategia de precios y forma de pago.
  - Bonificaciones
  - Descuentos
  - Financiación
- Planifique la comunicación y las promociones.

Tenga presente que un mensaje publicitario debe apelar a alguna de estas dimensiones:

- *La razón*: calidad, economía.
- *La emoción*: orgullo, sentimientos.
- *La moral*: bueno, aceptable.

Recuerde ofrecer siempre beneficios.

No venda su servicio, venda los beneficios que su servicio le ofrece al cliente.

Determine los medios de comunicación, el alcance y el presupuesto de cada campaña.

10. EVALÚE

Controle periódicamente cómo marcha su plan de acción, no sólo los resultados.

Parafraseando a Aristóteles:

Somos lo que hacemos día a día,
de modo que la excelencia no es un mero acto,
sino que deberá ser un hábito.

REFERENCIAS
BIBLIOGRÁFICAS

- Albrecht Karl y Bradford Lawrence: *La exelencia en el servicio,* Ed. Legis, Bogotá, 1991.

- Antoine Jacques: *El Sondeo, Una Herramienta de Marketing,* Deusto, España, 1993

- Berry, Leonard L. y Parasuraman A.: *Marketing en las empresas de servicios* Ed. Norma Colombia 1993.

- Bateson, John E.G. y Hoffman K. Duglas: *Fundamentos de marketing de servicios,* Ed. Thomson, México, 2002

- Covey, Stephen R.: *Los 7 hábitos de la gente eficaz,* Ed. Paidós, 1990.

- Cowell, D. *Mercadeo de Servicios*, Legis, Colombia, 1991.

- Cairola, Oscar Horacio: *Marketing – Plan para Emprendedores,* Editorial GEKA, Buenos Aires, 2003.

- Eiglier, Pierre; Langerard, Eric: *Servucción*, Mc Graw Hill, España, 1991.

- Jijena Sánchez, Rosario: *A,B,C,D, Eventos, El diccionario de los Eventos,* Dunken, Buenos Aires, 1999.

- *Organización de Eventos. Problemas e imprevistos, soluciones y sugerencias.* Ugerman Editor, Buenos Aires, 2da edición, 2004.

- *Eventos: cómo organizarlos con éxito,* Nobuko, Buenos Aires, 2003.
- Monferrer, C.A.: *Organización de congresos, exposiciones y otros eventos,* Dunken, Buenos Aires, 3ra edición, 2003.
- Kinnear, C. Thomas; James R. Taylor: *Investigación de Mercados,* Ed. Mc Graw Hill, 1995.
- Kotler, Philip: *Fundamentos de Mercadotecnia.* Prentice Hall, 7ª edición,. España, 1993.
- Kotler, Philip; Armstrong Gary: *Mercadotecnia,* Prentice Hall, México, 1996.
- Kotler, Philip y Bloom, Paul: *Mercadeo de Servicios Profesionales,* Ed. Legis, Bogotá, 1990.
- Lanbin, Jean Jacques: *Marketing Estratégico,* Mc Graw Hill, España, 1887.
- León, José Luis; Olabarri, Elena: *Conducta del consumidor y marketing,* Deusto, España, 1993.
- Mc. Carthy, Jerome E.; Perreaultt, Jr. William D.: *Fundamentos de Comercialización Principios y Métodos,* Ateneo, Buenos Aires, 1994.
- Peters, Thomas J.; Robert, H. Waterman: *En busca de la Excelencia,* Norma, 1991.
- Putman, Antony O.: *Cómo mercadear sus servicios,* Legis, Colombia, 1991.
- Stanton, J. William; Etzel, Michael J.; Walker, Bruce J.: *Fundamentos de Marketing,* Mc Graw Hill, México, 1997.
- Wilensky, Alberto L.: *Marketing estratégico,* Tesis, Buenos Aires, 1994.
- Woscoboinik, Gerardo. *Marketing de emprendimientos deportivos,* Tercer Milenio, Buenos Aires, 2001.

Gráfica MPS
Santiago del Estero 338
Lanús Oeste
4228-5163